La classe différenciée

Carol Ann Tomlinson

Traduction de l'américain
Bernard Théorêt

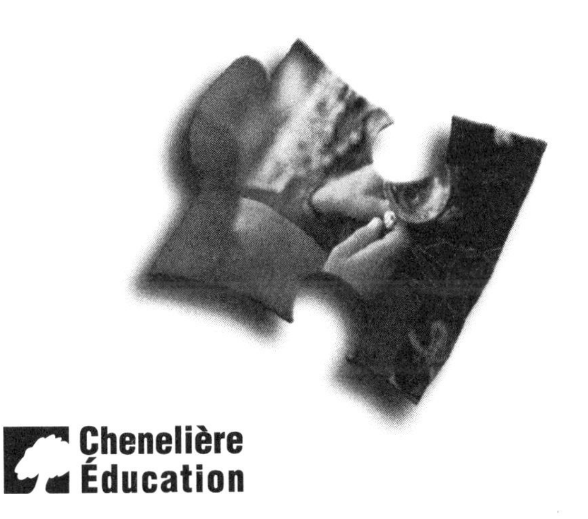

Chenelière Éducation

La classe différenciée

Traduction de : *The Differenciated classroom*
de Carol Ann Tomlinson

Coordination : Josée Beauchamp
Révision linguistique : Jasmine Chabot-Dagenais
Correction d'épreuves : Lucie Lefebvre
Maquette intérieure : Josée Bégin et Fenêtre sur cour
Infographie : Fenêtre sur cour
Couverture : Marc Leblanc

Catalogage avant publication
de la Bibliothèque nationale du Canada

Tomlinson, Carol Ann

La classe différenciée

(Chenelière/Didactique)
Traduction de : The differentiated classroom.
Comprend des réf. bibliogr.

ISBN 2-89461-589-2

1. Enseignement individualisé. 2. Styles cognitifs chez l'enfant. 3. Groupement hétérogène (Éducation). 4. Classes (Éducation) - Conduite. I. Titre. II. Collection.

LB1031.T6514 2003 371.39'4 C2003-941172-9

7001, boul. Saint-Laurent
Montréal (Québec)
Canada H2S 3E3
Téléphone : (514) 273-1066
Télécopieur : (514) 276-0324
info@cheneliere-education.ca

ISBN 2-89461-589-2

Dépôt légal: 1er trimestre 2004
Bibliothèque nationale du Québec
Bibliothèque nationale du Canada

Imprimé et relié au Canada

3 4 5 A 07 06

Dans cet ouvrage, afin d'alléger le texte, le masculin a été utilisé. La lectrice et le lecteur verront à interpréter selon le contexte.

Nous reconnaissons l'aide financière du gouvernement du Canada par l'entremise du Programme d'aide au développement de l'industrie de l'édition (PADIÉ) pour nos activités d'édition.

Gouvernement du Québec — Programme de crédit d'impôt pour l'édition de livres — Gestion SODEC

L'Éditeur a fait tout ce qui était en son pouvoir pour retrouver les copyrights. On peut lui signaler tout renseignement menant à la correction d'erreurs ou d'omissions.

Table des matières

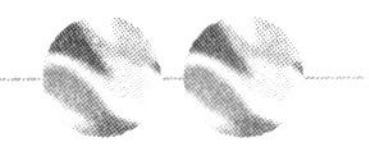

Avant-propos

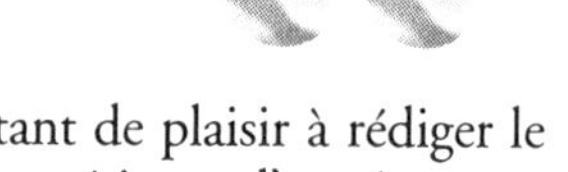

J'ai été ravie d'écrire *La classe différenciée.* En fait, si j'ai pris tant de plaisir à rédiger le présent ouvrage, c'est que cela m'a replongée dans ma propre expérience d'enseignante. J'ai également compris qu'enseigner, c'est raconter une histoire, en partie du moins.

Écrire ce livre m'a permis de retourner près d'un siècle en arrière, alors que des institutrices œuvraient dans de petites écoles n'ayant qu'une seule classe. Elles acceptaient tous les élèves qui s'y présentaient et leurs actions semblaient dire: « Je suis reconnaissante envers vous tous qui êtes venus ici pour apprendre. Même si vous êtes différents les uns des autres, nous atteindrons nos objectifs ! »

Je me suis également remémoré les longues soirées passées chez Doris Standridge, ma première véritable partenaire d'enseignement. Elle et moi essayions de comprendre les classes multitâche, qui semblaient correspondre aux besoins très variés de nos élèves. Après trois décennies d'une belle amitié, Doris travaille encore avec moi pour découvrir un sens à l'enseignement... et à la vie !

En rédigeant cet ouvrage, plusieurs visages et noms d'élèves me sont revenus en mémoire. Ces élèves auxquels j'ai enseigné du préscolaire au primaire en passant par le secondaire m'ont beaucoup appris en retour. Ils étaient si différents et si semblables à la fois. Ils avaient besoin que je représente plus qu'une enseignante pour eux et ils m'ont montré comment y arriver.

Plusieurs collègues du comté de Fauquier, en Virginie, me sont aussi revenus en mémoire. Ceux-ci travaillaient fort, prenaient des risques professionnels, sortaient des sentiers battus, accomplissaient leur travail dans la joie et en semaient autour d'eux. L'environnement était propice à l'innovation, et le climat ainsi créé ne pouvait être plus stimulant.

Pour écrire ce livre, j'ai aussi retracé les étapes de ma « seconde vie » à l'Université de Virginie. Dans cette institution d'enseignement, mes collègues, des modèles d'excellence, m'inspirent la réflexion. Mes élèves me demandent souvent : « Pourquoi ? » Ensuite, ils ajoutent généralement : « Pourquoi pas ? » Encore aujourd'hui, les élèves sont autant mes maîtres que je suis le leur !

Je travaille maintenant avec des enseignants provenant de divers endroits des États-Unis. Les questions d'autres enseignants de tout le pays soulèvent des incertitudes et nous poussent à remettre nos méthodes d'enseignement en question. Ce sont ces précieuses questions qui nous font progresser.

Les enseignants me demandent souvent : « Où vais-je trouver le temps de faire de l'enseignement différencié ? Je suis déjà si occupé ! » Le fait d'écrire ce livre m'a permis de confirmer mon unique réponse : « Construisez vous-même votre carrière. Essayez de réussir encore mieux demain qu'aujourd'hui, mais n'espérez pas finir un jour de vous remettre en question et, ce faisant, de vous améliorer. » Enseigner, c'est apprendre, et apprendre, c'est devenir meilleur...

Écrire une histoire, c'est un peu écrire sa vie. *La classe différenciée* vous explique comment écrire votre propre histoire en tant qu'enseignant : un jour à la fois, un pas vers le progrès à la fois, un partenariat à la fois.

Bonne chance dans votre démarche vers la différenciation !

Carol Ann Tomlinson

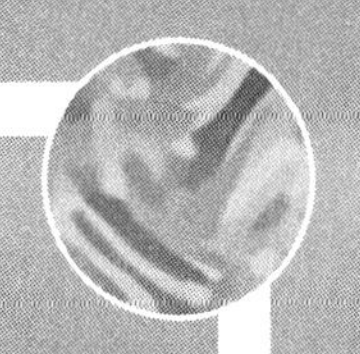

Chapitre 1

Qu'est-ce qu'un enseignement différencié ?

Il y a plus d'un demi-siècle, les petites écoles ne comptaient qu'une seule classe et l'enseignement était un défi quotidien pour les institutrices de l'époque. Elles consacraient une partie de leur temps et de leurs efforts à des enfants qui n'avaient jamais vu un livre et ne savaient ni lire ni écrire, tandis qu'une autre partie était consacrée à des élèves plus avancés qui s'intéressaient peu à ce que les plus jeunes faisaient ou apprenaient. Les enseignants d'aujourd'hui doivent relever un défi semblable à celui qui consistait à enseigner dans ces petites écoles d'une seule classe : toucher des élèves dont la maturité scolaire et les intérêts personnels sont variés et dont les points de vue et les manières de s'exprimer sur le monde diffèrent à cause de cultures ou d'expériences diversifiées.

Même si les enseignants contemporains travaillent généralement dans des classes dont les élèves sont tous à peu près du même âge, ces enfants manifestent une série de besoins tout aussi variés que les enfants des petites écoles d'une seule classe d'antan. Le problème principal des enseignants reste donc semblable à celui d'autrefois et pourrait se poser comme suit : « Comment répartir le temps, distribuer les ressources et partager mes interventions afin de jouer un rôle de catalyseur efficace auprès des élèves et de maximiser le talent de chacun d'eux ? ».

Voici les réponses de certains enseignants :

- Pour ses élèves de troisième année, madame Wiggins choisit des épellations sélectionnées à partir d'un prétest ; elle ne fait pas épeler les mêmes mots à tous ses élèves.

- Quand cela est possible, monsieur Owen adapte les devoirs et les leçons aux besoins des élèves, et s'assure que les travaux pratiques sont signifiants.

- Madame Jernigan enseigne rarement les mathématiques en grand groupe. Elle préfère rassembler les élèves en sous-groupes auxquels elle enseigne et propose des travaux pratiques ainsi que des exercices adaptés à leurs besoins. Elle fait le maximum pour consacrer à chacun le même temps et la même attention aux moments cruciaux, surtout au début des cours, et fait en sorte que les travaux pratiques correspondent aux besoins des élèves. Les sous-groupes effectuent des exercices de mathématiques basés sur la vraie vie. Madame Jernigan s'assure que les interactions permettent aux élèves d'être en contact avec différents points de vue lorsque les élèves commencent à acquérir une pensée mathématique.

- Mademoiselle Enrico offre différents choix aux élèves au moment de créer la production finale d'un module. Elle base ces choix sur les intérêts des élèves, ce qui leur permet de faire le lien entre ce qu'ils ont appris et ce qui est important pour eux, en tant qu'individus.

Tous ces enseignants pratiquent l'enseignement différencié. Ils ont peut-être adopté ce genre d'enseignement avant même qu'il ne porte un nom ou qu'il ne soit reconnu. En somme, ces enseignants font le maximum pour que les apprenants progressent le plus possible chaque jour, chaque semaine, et pendant toute l'année, peu importe qu'ils soient en difficulté ou plus avancés, ou que leurs cultures et leurs expériences soient différentes.

Les caractéristiques des classes différenciées

Dans une classe différenciée, les enseignants commencent les cours au niveau où les élèves se situent et non en fonction du curriculum. Ils se basent sur la prémisse suivante: tous apprennent de manières très différentes. Par conséquent, ils croient en cette prémisse et agissent en se basant sur le fait que les enseignants doivent être prêts à enseigner selon diverses modalités, en faisant appel aux intérêts divers des élèves et en utilisant différents niveaux d'enseignement en même temps que des niveaux variés de complexité. Dans des classes différenciées, les enseignants s'assurent que chaque élève, en se développant et en grandissant, est davantage en compétition avec lui-même qu'avec les autres élèves.

Dans des classes différenciées, l'enseignant fournit à chaque individu différentes manières d'apprendre le plus efficacement possible, en tenant pour acquis que la « carte routière d'apprentissage » de chaque élève est unique. Ces enseignants croient que les attentes relatives aux élèves doivent être élevées. Ils s'assurent que tous les élèves, autant ceux qui ont des difficultés que ceux qui sont avancés, travaillent plus qu'ils n'en avaient l'intention et atteignent plus d'objectifs qu'ils ne s'en croyaient capables. Ils amènent aussi les élèves à saisir que le fait d'apprendre demande des efforts, qu'il comprend des risques, et qu'il apporte des succès personnels. Ces enseignants travaillent aussi de façon à s'assurer que les élèves vivent des succès à la suite d'un travail.

Les enseignants de classes différenciées gèrent le temps de manière flexible, utilisent différentes stratégies d'enseignement, et deviennent des partenaires de leurs élèves afin que la matière apprise et l'environnement d'apprentissage soient moulés à chacun d'eux. Ils n'imposent pas de moule à celui qui apprend. Ces enseignants sont, dirait-on, les élèves de leurs élèves. Ils posent des diagnostics et prescrivent à leurs élèves un enseignement qui leur est personnellement adapté. Ces enseignants sont aussi des artistes qui utilisent les outils de leur art pour répondre aux besoins des élèves. Ils ne visent pas l'enseignement standardisé, de production de masse, qui est censé convenir à tous les élèves: ils savent reconnaître l'individualité de chaque élève.

Les enseignants de classes différenciées ont d'abord une conception solide et claire de ce qui constitue un curriculum efficace et un enseignement engagé. Ils se demandent aussi comment modifier l'enseignement pour que chaque élève en retire la compréhension et les habiletés qui le guideront vers la phase suivante de l'apprentissage. Essentiellement, les enseignants des classes différenciées se basent sur le fait que les élèves ont tous des points communs, mais aussi des différences essentielles qui les caractérisent. Ils acceptent ce fait, adoptent cette idée et planifient en conséquence. Les enseignants peuvent composer avec ces différences de multiples façons et ajuster les interventions pour qu'elles conviennent à chaque individu.

Même si les classes différenciées sont basées sur le bon sens, elles peuvent être difficiles à réaliser. Il est difficile d'implanter une classe différenciée parce qu'il en existe peu d'exemples. Les exemples connus offrent cependant une manière productive de commencer à explorer l'enseignement différencié.

Des portraits d'écoles

Les enseignants doivent s'efforcer quotidiennement de trouver des manières d'atteindre les apprenants et de s'adapter à leurs divers niveaux de préparation, à leurs intérêts et à leurs préférences en matière d'apprentissages. Il n'y a pas de recette pour créer une classe différenciée. Les enseignants doivent prodiguer des enseignements empreints de leur style et s'inspirant des besoins des apprenants. Voici quelques exemples de classes dans lesquelles l'enseignement est différencié. Certains exemples ont été observés dans une seule classe ; d'autres sont tirés de l'expérience de différentes classes ou tout simplement de conversations entre enseignants. Tous les exemples visent à permettre de se faire une idée juste de ce qu'est une classe différenciée.

Un portrait de deux classes du primaire

Chaque jour, pendant des périodes données, les élèves de première année de madame Jasper se déplacent entre différents centres d'apprentissage. Madame Jasper a travaillé pendant plusieurs années à la mise sur pied de centres d'apprentissage variés, traitant de plusieurs sujets. Tous les élèves visitent, tour à tour, chaque centre d'apprentissage parce que madame Jasper croit qu'il serait injuste qu'ils n'étudient pas tous la même chose. Les élèves aiment les déplacements et l'autonomie que procure la visite des centres d'apprentissage.

Souvent, Isabel réussit rapidement les travaux du centre ; tout aussi souvent, Jamie se demande comment accomplir le travail. Madame Jasper essaie d'aider

Jamie le plus souvent possible, mais ne se préoccupe pas trop d'Isabel parce que ses habiletés dépassent celles qu'on attend d'une élève de première année.

Aujourd'hui, tous les élèves de la classe de madame Jasper travailleront à un centre d'apprentissage de mots composés. Ils choisiront cinq mots d'une liste de dix mots composés et les illustreront. Plus tard, madame Jasper demandera à des volontaires de montrer leurs illustrations. Elle poursuivra cet exercice aussi longtemps que les dix mots n'auront pas été illustrés.

Madame Cunningham utilise aussi des centres d'apprentissage avec sa classe de première année. Elle aussi a investi beaucoup de temps dans le développement de centres intéressants, touchant des sujets variés. Cependant, les centres qu'a créés madame Cunningham respectent certains principes des classes différenciées. Quelquefois, tous les élèves travaillent à un centre d'apprentissage qui introduit une idée ou une habileté nouvelle pour chacun. Plus souvent, madame Cunningham affecte des élèves à un centre d'apprentissage en particulier ou à une tâche précise dans un des centres. Elle se base alors sur sa perception en continuelle évolution de leur niveau particulier de rendement.

Aujourd'hui, ses élèves travailleront eux aussi à un centre d'apprentissage de mots composés. Une liste des élèves se trouve à chaque centre; chaque nom est marqué d'une couleur figurant parmi un choix de quatre. Chaque élève travaille avec la chemise qui correspond à la couleur indiquée près de son nom. Par exemple, le nom de Sam est suivi d'une marque rouge. En utilisant le matériel inclus dans la chemise rouge, Sam doit ordonner correctement deux noms pour faire des mots composés courants. Il concevra aussi une affiche qui illustre les deux mots et le mot composé qu'ils forment. À partir du matériel inclus dans la chemise bleue, Josée regardera autour d'elle et dans des livres afin de trouver des exemples de mots composés. Elle les écrira et les illustrera dans un cahier. En utilisant le matériel inclus dans la chemise violette, Jenna écrira un poème ou une histoire comportant des mots composés qu'elle trouvera et qui rendront l'histoire ou le poème intéressant. Elle illustrera ensuite les mots composés pour rendre l'histoire ou le poème aussi intéressant à voir qu'à lire. Dans la chemise verte, Dillon trouvera une histoire que l'enseignant a écrite et qui comprend des mots composés corrects et incorrects. Dillon jouera au détective et déterminera les « mauvais » et les « bons » mots composés. Il produira un tableau sur lequel il illustrera les « bons » et formera une liste des « mauvais », puis les écrira ensuite correctement.

Le lendemain, quand les élèves feront le tour des centres, ils pourront partager leur travail sur les mots composés. Les élèves seront incités à dire ce qu'ils préfèrent de chaque présentation. Madame Cunningham demandera aussi à certains élèves réticents de s'exprimer volontairement.

L'exemple de deux classes de cinquième année

En cinquième année, les élèves de l'école Sullin se penchent sur le concept de personnalité pour faire des liens entre les études sociales et la langue. Tous les élèves doivent aiguiser et appliquer leurs habiletés en recherche, écrire convenablement et faire part à un auditoire de ce qu'ils ont appris du module.

Monsieur Elliott demande à ses élèves de choisir et de lire la biographie d'une personnalité tirée de leurs études en littérature ou en histoire. Les élèves consultent ensuite Internet ou une encyclopédie pour se renseigner davantage sur la personnalité choisie. Chaque élève écrit un rapport sur ce personnage célèbre et décrit sa culture, son enfance, son éducation, ses défis et sa contribution au monde. Les élèves sont incités à illustrer leur rapport de façon originale et pertinente. Monsieur Elliott présente un exposé didactique à toute la classe afin de guider les élèves dans des domaines tels que la recherche, l'organisation et la qualité de la langue.

Dans sa classe de cinquième année, madame May fournit aux élèves une liste pour les aider à choisir un domaine où ils ont un talent particulier ou par lequel ils sont fascinés, comme le sport, les arts, la médecine, le plein air, l'écriture ou l'aide communautaire. Finalement, chaque élève choisit un domaine qui éveille son intérêt ou sa curiosité. Les élèves et l'enseignant discutent du fait que dans tous les types d'entreprises humaines, les personnalités célèbres ont influencé la compréhension et la pratique de leurs spécialités respectives. Elle leur lit une courte biographie d'un homme d'État, d'un musicien et d'un astronaute. Les élèves et l'enseignant énoncent ensemble des traits de personnalité communs aux personnes célèbres.

Par exemple, les gens célèbres sont généralement créatifs et prennent des risques pour faire des progrès dans leur domaine. Ils sont souvent rejetés avant d'être admirés. Quelquefois, ces personnalités connaissent des échecs, mais elles obtiennent aussi des succès et elles usent d'ailleurs de persistance. Les élèves vérifient si ces traits de caractère s'appliquent aux personnages historiques, aux auteurs et aux personnes qui font actuellement les manchettes. Ils concluent que les gens sont parfois célèbres pour les « bonnes raisons » et parfois, pour les « mauvaises raisons ». Ils recherchent alors des personnes qui sont devenues célèbres en raison de leur influence positive sur le monde.

La spécialiste des médias de l'école aide les élèves à créer des listes de personnages célèbres « positifs » dans les domaines particuliers d'intérêt de chacun. Elle les guide aussi pour qu'ils trouvent diverses ressources afin d'étayer leur recherche. Ces ressources comprennent des discussions en groupe afin de trouver des personnes qu'ils pourraient interviewer. Elle leur parle de l'importance de choisir de la documentation de recherche qu'ils peuvent lire et comprendre, facilement et clairement. Elle leur offre aussi de chercher d'autres solutions si cette documentation est trop facile ou trop difficile à comprendre.

Madame May et ses élèves discutent de différentes techniques de prise de notes et, au cours de leur recherche, ils en font l'essai. Ils examinent aussi diverses méthodes d'organisation de l'information comme des diagrammes, des plans, des scénarios-maquettes et des matrices. Ensuite, ils discutent de différentes manières d'exprimer ce qu'ils ont compris par des essais, de la fiction historique, des monologues, des poèmes, des caricatures ou des dessins de personnages. Madame May fournit à chacun un document qui le guide sur le contenu, la recherche, la planification et le résultat de son travail. Les élèves rencontrent aussi individuellement madame May afin de fixer leurs objectifs de compréhension et de décider des procédés de travail qu'ils adopteront ainsi que du produit final qu'ils veulent obtenir.

Au cours de la recherche, madame May supervise des individus et de petits groupes pour évaluer leur compréhension et leurs progrès. Elle leur indique en outre comment faire un travail de qualité. Les élèves s'évaluent aussi l'un l'autre, d'après les critères ciblés dans le document de départ et leurs objectifs individuels. Ils s'assurent que chaque rapport parle de quelqu'un qui a contribué à l'évolution du monde. Finalement, toute la classe réalise dans la cafétéria de l'école une peinture murale qui illustre les caractéristiques de la célébrité sous la forme de pièces de casse-tête. Sur chaque pièce de casse-tête, les élèves écrivent ou illustrent des exemples de caractéristiques inspirés par la personnalité qu'ils ont choisie. Ils indiquent aussi comment ce qu'ils viennent d'apprendre influence ou influencera leur propre vie. Les élèves partagent également le résultat de leurs recherches avec un adulte qui connaît ou qui est intéressé à connaître la personnalité qu'ils ont étudiée.

Comparons des classes intermédiaires

Dans la classe de sciences de monsieur Cornell, les élèves travaillent suivant une séquence déterminée : lire le chapitre, répondre aux questions de fin de chapitre, discuter de leurs lectures, effectuer des expériences et répondre à un questionnaire. Les élèves réalisent les expériences et rédigent leurs rapports en groupes de quatre. Dans le but de régler des problèmes de comportement, monsieur Cornell joint parfois des élèves à un groupe d'exercices. Souvent, les élèves choisissent eux-mêmes leurs groupes d'exercices. Ils lisent le texte et répondent individuellement aux questions. Au cours d'un chapitre, monsieur Cornell organise habituellement deux ou trois discussions avec toute la classe. Tous les élèves participent à l'exposition scientifique qui a lieu au printemps et présentent un projet basé sur un sujet étudié pendant l'automne ou l'hiver.

Pour étudier un texte, madame Santos regroupe souvent des élèves de sa classe de science en équipes de lecture. Les groupes sont habituellement formés d'élèves qui ont les mêmes compétences en lecture. Elle ajuste les organisateurs graphiques et les carnets d'apprentissage selon le niveau de structure et de concrétisation que le groupe a besoin d'acquérir et en fonction de ce que les élèvent doivent comprendre du chapitre. Elle laisse aussi les élèves libres de lire à haute voix ou non. Ils remplissent ensuite, ensemble, les organisateurs et les carnets. Pendant que les élèves lisent, madame Santos se promène de groupe en groupe. Quelquefois, elle leur lit des passages importants ou elle leur demande de les lire, mais elle interroge toujours les élèves de manière à approfondir leur compréhension et à clarifier leur pensée.

Avant que les élèves lisent le chapitre, madame Santos leur demande parfois d'effectuer des expériences, de regarder des vidéos ou d'utiliser du matériel complémentaire pour qu'ils comprennent clairement les principes-clés avant d'aborder le texte. Quelquefois, ils lisent le texte pendant un moment, réalisent une expérience puis retournent au texte. Dans certains cas, les expériences et le matériel complémentaire font suite à la lecture du texte. Fréquemment, deux versions d'une expérience se poursuivent simultanément : l'une pour les élèves qui ont besoin d'expériences concrètes pour comprendre des principes-clés et l'autre pour les élèves qui comprennent les principes-clés et qui peuvent les appliquer dans des situations complexes et incertaines.

Madame Santos propose des jeux-questionnaires et une liste d'éléments de diagnostic pour le carnet d'apprentissage plusieurs fois pendant l'étude d'un module. Donc, elle sait quels sont les élèves qui ont besoin d'enseignement supplémentaire pour les apprentissages et les habiletés-clés, et quels sont ceux qui peuvent effectuer des mises en application plus complexes dès le début du module. Pour un projet scientifique important, les élèves ont plusieurs choix :

- Travailler seuls ou avec d'autres élèves afin de se pencher sur un problème de science qui existe dans la communauté ;
- Jouer le rôle de mentors auprès d'une personne ou d'un groupe de la communauté et mettre à profit leurs conaissances en sciences pour régler un problème local ;
- Étudier des scientifiques du passé ou des contemporains qui ont influencé positivement la pratique des sciences dans un domaine particulier ;
- Écrire un récit de science-fiction basé sur la matière scientifique étudiée, en ayant comme objectif de soumettre le récit à l'anthologie des arts littéraires de l'école ;
- Utiliser les appareils-photo de la classe pour créer un récit photographique visant à aider les élèves plus jeunes à comprendre comment certaines facettes de la science qu'ils ont étudiées influencent le monde ;

- Proposer une autre solution à l'enseignant et s'en servir pour mettre sur pied un projet démontrant de la compréhension et des habiletés en sciences.

Dans la classe d'anglais de huitième année de monsieur O'Reilly, les élèves lisent les mêmes romans et en discutent avec toute la classe. Les élèves prennent des notes de lecture sous forme de tenue de journal.

Dans la classe d'anglais de huitième année de madame Wilkerson, les élèves lisent souvent des romans ayant trait à un même thème, tel que le courage ou la résolution de conflits. Les élèves choisissent parmi quatre ou cinq romans traitant d'un même thème et madame Wilkerson fournit les livres choisis. Elle s'assure également que les romans offrent des difficultés de lecture variées et qu'ils correspondent à plusieurs intérêts.

Les élèves de huitième année de madame Wilkerson fréquentent souvent des cercles littéraires et y rencontrent d'autres élèves qui lisent le même roman qu'eux pour discuter de ce qu'ils ont lu. Même si les cercles littéraires font ressortir des habiletés de lecture différentes, les élèves jouent, chacun leur tour, un des cinq rôles-clés suivants: animateur de discussion, illustrateur, investigateur historique, personne-ressource en littérature et recherchiste de vocabulaire. Il existe des guides permettant aux élèves de bien jouer ces rôles. Madame Wilkerson varie aussi les questions incitatives pour le journal, assignant ainsi différentes questions incitatives à différents élèves. Souvent, elle invite les élèves à choisir une question qui les intéresse. On fait aussi, à plusieurs reprises, des discussions avec toute la classe sur le thème commun à tous les romans, ce qui permet à tous les élèves de comprendre l'importance du thème dans le livre et dans la vie.

Des exemples de l'école secondaire

Pendant les cours d'espagnol de madame Horton, tous les élèves font les mêmes exercices structuraux, travaillent sur les mêmes exercices oraux, lisent les mêmes passages et répondent aux mêmes jeux-questionnaires.

Dans les cours de langue seconde de monsieur Adam, les élèves travaillent souvent à des exercices écrits de différents degrés de complexité et avec différents niveaux de soutien de la part de l'enseignant. Les exercices oraux sont basés sur les mêmes structures de base, mais les élèves maîtrisent divers niveaux de complexité de la langue. Les élèves peuvent sauter les séances de révision et créer à la place un dialogue ou lire un magazine dans la langue enseignée. Monsieur Adams regroupe souvent deux élèves de niveaux différents pour préparer ce qu'il appelle des «jeux-questionnaires fondamentaux». S'ils le souhaitent, les élèves peuvent aussi, de temps en temps, choisir un partenaire pour se préparer à un «questionnaire défi». Quand ils réussissent un questionnaire défi et démontrent qu'ils maîtrisent la matière prévue pour les devoirs et leçons, les élèves obtiennent un congé de travail à la maison.

Dans le cours d'algèbre de monsieur Matheson, les élèves font tous les mêmes devoirs et leçons à la maison, travaillent indépendamment les uns des autres pendant les exercices en classe et passent tous les mêmes tests.

Dans son cours d'algèbre, madame Wang aide les élèves à définir des concepts-clés et les habiletés nécessaires à la compréhension d'un chapitre donné. Selon les résultats de plusieurs évaluations effectuées en cours de chapitre, les élèves choisissent le travail qu'ils feront à la maison ainsi que les minisessions de travail en classe qui les aideront à clarifier certains sujets. Madame Wang encourage les élèves à déterminer s'ils travaillent de façon plus efficace lorsqu'ils sont seuls ou avec un partenaire, et à choisir la manière de travailler quand l'occasion se présente. À la fin du chapitre, elle donne aux élèves des « problèmes-défis » auxquels ils peuvent s'attaquer seuls ou avec un camarade de classe. Ces problèmes nécessitent une véritable réflexion. Au cours des tests de fin de chapitre, les élèves retrouvent des problèmes semblables à ceux qu'elle a conçus plus tôt. Cinq ou six problèmes différents sont proposés parmi les tests offerts aux 30 élèves.

En éducation physique, les élèves de madame Bowen font tous les mêmes exercices de basketball. De son côté, monsieur Wharton aide ses élèves à choisir divers exercices selon leurs compétences en basketball. Il propose des défis qui permettent l'amélioration personnelle et prépare des tableaux de progrès accomplis pour chacun. Il suit avec attention la progression de l'élève sous deux aspects : ses habiletés et ses faiblesses.

Pendant les cours d'histoire, madame Roberson et ses élèves parcourent le manuel de façon séquentielle. Elle fournit des compléments d'information au manuel. Madame Roberson met l'accent sur l'histoire des femmes et sur l'histoire des Afro-américains pendant les mois désignés par l'école pour souligner ces sujets.

Pendant les cours d'histoire de madame Washington, les élèves recherchent des concepts-clés et des sujets qui reviennent à chaque période de l'histoire qu'ils étudient. Ils recherchent aussi des généralisations et des concepts-clés particuliers à chaque période. Les points de vue et les expériences qui sont partagés par divers groupes culturels et socio-économiques font aussi partie de leurs études. Ils consultent une panoplie de textes, de vidéos et d'enregistrements qui comportent divers niveaux de difficulté. Madame Washington donne des cours, mais en utilisant toujours des documents pour rétroprojection afin de mettre en évidence des points-clés à l'intention des apprenants visuels. Elle s'arrête aussi fréquemment afin d'inciter les élèves à discuter des idées-clés du cours et de s'assurer qu'ils ont bien saisi ces idées. Les rédactions et les projets incitent souvent les élèves à comparer ce qu'ils ont compris d'une période de l'histoire américaine avec celle d'une autre culture, qui se déroulait au même moment, dans une autre partie du monde. Les stratégies d'évaluation offrent toujours à l'élève d'exprimer ce qu'il comprend. À la fin de chaque trimestre, l'évaluation sommative peut être faite à partir d'un examen et de tout autre outil d'évaluation comptant pour la moitié des points. Cet outil est choisi par l'élève avec l'approbation de l'enseignante.

Les classes différenciées sont bien adaptées aux élèves, qui apprennent de diverses manières, à différents rythmes, et qui montrent à l'école des talents et des intérêts variés. De telles classes fonctionnent mieux pour un ensemble d'élèves différents que des cours du type « une seule taille convient à tous ». Les enseignants des classes différenciées sont plus près de leurs élèves et leur approche de l'enseignement relève davantage d'un art que d'un exercice mécanique. Ce n'est pas simple de gérer des classes qui s'adaptent aux similarités comme aux différences des élèves. Les chapitres qui suivent décrivent des classes où l'enseignement est ainsi attentif aux besoins de chacun des élèves. Ces chapitres offrent un encadrement pour vous aider, à long terme, à créer de telles classes différenciées dans votre groupe ou dans votre école.

CHAPITRE 2

Des éléments de différenciation

De temps à autre, les enseignants efficaces adaptent une partie de leur enseignement aux besoins des élèves. Bon nombre d'entre eux croient aussi aux principes de la différenciation des apprentissages et, dans une certaine mesure, la mettent en pratique. Nous ne ferons cependant pas l'inventaire des actions que ces enseignants attentifs posent occasionnellement, par exemple offrir à un élève de l'aide supplémentaire à l'heure du dîner ou encore poser à un apprenant particulièrement brillant une question défi à l'occasion d'une révision.

Ce livre est un guide destiné aux intervenants qui souhaitent implanter efficacement des dispositifs de différenciation au sein de leur groupe en vue de connaître les différents styles d'apprentissage des élèves et d'y répondre.

Les principes de base des classes différenciées

Il n'y a pas de formule unique pour créer une classe différenciée. Nous exposerons quelques-unes des idées-clés relatives à la différenciation. Au cours de votre lecture, vous songerez sans doute à ce que vous pourriez faire dans votre propre classe. Au besoin, reportez-vous au chapitre 1 et aux exemples de classes différenciées qui y sont exposés pour découvrir comment ces principes peuvent s'appliquer.

Les enseignants se concentrent sur les éléments essentiels

Personne ne peut tout apprendre de chaque manuel, à plus forte raison sur un sujet. Le cerveau est conçu de telle façon que même l'individu le plus doué oublie davantage d'information sur un sujet donné qu'il n'en retient. Il est donc très important que les enseignants expriment clairement ce que l'apprenant doit se rappeler, ce qu'il doit comprendre et être capable de réaliser dans un domaine donné.

Dans une classe différenciée, l'enseignant doit adapter avec soin son enseignement et se concentrer sur les savoirs essentiels ainsi que sur les habiletés à développer. Il poursuit un objectif: celui que les élèves quittent la classe en ayant intégré ces savoirs et ces habiletés.

Par ailleurs, son objectif n'est pas que les élèves quittent la classe en ayant le sentiment d'avoir acquis toutes les connaissances. La précision des interventions de l'enseignant garantit que les apprenants qui ont des difficultés se concentrent sur les connaissances et les habiletés essentielles; les élèves ne se noient donc pas dans une mer de faits sans liens entre eux. L'enseignant s'assure aussi que les apprenants plus avancés consacrent du temps à comprendre des notions plus complexes plutôt qu'à revoir celles qu'ils connaissent déjà. Cette attitude augmente la probabilité que l'enseignant puisse présenter un sujet de manière à ce que chaque élève s'y intéresse et le comprenne. En outre, l'enseignant, l'apprenant, l'évaluation, le programme d'études et les méthodes d'enseignement se conjuguent dans un processus dont l'aboutissement est la croissance personnelle et le succès de chaque enfant.

Les enseignants se préoccupent des différences entre les élèves

Dès leur jeune âge, les enfants comprennent que certains sont meilleurs pour lancer des balles, d'autres pour raconter des histoires drôles ou pour manipuler les chiffres, et d'autres encore pour rendre les gens heureux. Ils comprennent que certaines personnes éprouvent de la difficulté à lire des mots, alors que d'autres maîtrisent moins bien leurs émotions ou éprouvent des problèmes de motricité à cause de la faiblesse de leurs jambes ou de leurs bras. Les élèves semblent à l'aise dans un monde où ils ne sont pas tous identiques. Ils ne se concentrent pas sur leurs similitudes, mais plutôt sur la joie qu'ils ressentent quand ils sont respectés, valorisés, soutenus et même cajolés pour réaliser des choses qui leur paraissent hors de portée.

Dans les classes différenciées, l'enseignant est conscient que les élèves sont des êtres humains qui partagent les mêmes besoins : se nourrir, s'abriter, être en sécurité, ressentir une appartenance, se réaliser, apporter leurs contributions et s'accomplir. Il sait aussi que les êtres humains comblent ces besoins dans plusieurs champs d'activités, à des rythmes différents et en suivant des chemins divers. Il comprend que c'est en prêtant attention aux différences entre les êtres humains qu'il peut aider les individus à combler leurs besoins communs. Nos expériences, notre culture, notre sexe, notre code génétique, nos câblages neurologiques, tout affecte ce que nous apprenons et la façon dont nous l'apprenons. Dans une classe différenciée, l'enseignant accepte inconditionnellement les élèves tels qu'ils sont et s'attend à ce qu'ils réalisent leur plein potentiel.

L'évaluation et l'enseignement sont indivisibles

Dans une classe différenciée, l'évaluation est continue et permet d'établir un diagnostic précis. Son but est de fournir quotidiennement aux enseignants des données sur les intérêts particuliers des élèves, sur leurs profils d'apprentissage et sur leur niveau de préparation à l'égard de la compréhension des idées et du développement des habiletés. Les enseignants ne considèrent pas l'évaluation comme quelque chose qui termine l'étude d'un module et qui vise à leur faire découvrir ce que les élèves ont appris. L'évaluation permet plutôt de comprendre comment mieux adapter l'enseignement pour demain.

Une telle évaluation formative est obtenue de différentes manières. Elle est issue, entre autres, de discussions en petits groupes incluant l'enseignant et quelques élèves, de discussions avec toute la classe, de notes dans le journal de bord ou dans les portfolios, des répertoires d'habiletés, des devoirs à faire à la maison, des prétests, des fiches d'observation, des opinions des élèves, ou des sondages sur les intérêts. À ce stade, l'évaluation permet de cibler les élèves qui comprennent les idées-clés ou qui peuvent travailler avec les habiletés visées. L'évaluation permet également de déterminer le degré de compétence et le niveau d'intérêt des élèves. L'enseignant peut alors planifier le travail du lendemain — et même celui du reste de la journée — pour aider chaque élève à dépasser son niveau de compétence actuel.

À des moments stratégiques de l'apprentissage, comme à la fin d'un chapitre ou d'un module, les enseignants de classes différenciées procèdent à l'évaluation pour enregistrer formellement la progression de l'élève. Même à ce moment, ils optent pour différentes façons d'évaluer afin de permettre aux élèves de faire la démonstration de leurs niveaux d'apprentissage et d'habiletés. L'évaluation doit toujours aider les élèves à progresser et non pas servir à les cataloguer.

L'enseignant modifie les contenus, les processus et les productions

En utilisant avec la plus grande attention les renseignements tirés de l'évaluation, l'enseignant peut modifier les contenus, les processus et les productions. Les *contenus* représentent ce que les élèves doivent apprendre et comprendre, ainsi que les éléments matériels et les mécanismes nécessaires pour obtenir ce résultat. Le *processus,* c'est l'ensemble des activités conçues afin de s'assurer que les élèves mettent en pratique les habiletés-clés pour découvrir des idées maîtresses et de l'information. Les *productions* sont les véhicules par lesquels les élèves peuvent démontrer et mettre en valeur leurs apprentissages.

La préparation, l'intérêt et le profil d'apprentissage des élèves varient. La *préparation* est le point de départ de l'élève relativement à une habileté ou à la compréhension d'une idée donnée. Les élèves moins bien préparés peuvent avoir besoin :

- de quelqu'un pour reconnaître et combler les carences de leur apprentissage et leur permettre de progresser ;
- de plus d'enseignement direct ou de pratique ;
- d'activités et de productions plus structurées et plus concrètes, divisées en quelques étapes et correspondant mieux à leurs propres expériences en faisant appel à des lectures plus simples ;

- d'un rythme d'apprentissage plus lent ou plus rapide, selon le cas.

Par ailleurs, les élèves plus avancés peuvent avoir besoin :

- de ne pas faire de travaux pratiques qui font appel à des habiletés et à des compétences déjà acquises ;
- d'activités ouvertes et de productions qui sont plutôt complexes, faisant appel à des principes abstraits et comportant plusieurs dimensions, qui mènent à des lectures plus avancées ;
- d'un rythme de travail rapide ou, au contraire, d'un rythme plus lent, mais qui permet une étude plus approfondie de certains sujets.

L'*intérêt* renvoie à la curiosité ou à la passion des enfants pour un sujet ou une habileté, ou à leur affinité avec ce sujet. Une élève veut en apprendre davantage sur les fractions à cause de son intérêt marqué pour la musique ; son enseignant de mathématiques lui montre la relation entre les fractions et la musique. Un autre élève peut être fasciné par une étude portant sur la Révolution américaine en raison de son intérêt pour la médecine, puisqu'on lui a donné la possibilité de réaliser un travail sur la médecine pratiquée pendant cette période de l'histoire.

Le *profil d'apprentissage* est la manière d'apprendre. Il peut dépendre des types d'intelligence, du sexe de l'individu, de la culture ou du style d'apprentissage. Pour mieux apprendre, certains élèves doivent discuter des idées avec d'autres élèves. D'autres travaillent mieux en étant seuls et en écrivant. Certains élèves apprennent mieux en abordant séparément les notions de base d'un concept pour en comprendre ensuite le tout. D'autres ont besoin de connaître l'ensemble de l'idée avant de comprendre les éléments qui la composent. Certains élèves préfèrent une approche logique ou analytique de l'apprentissage. D'autres encore préfèrent des cours créatifs, basés sur les applications. (Voir le tableau 2.1, page 23, dans lequel vous trouverez d'autres idées au sujet de la préparation, de l'intérêt et du profil d'apprentissage.)

Les enseignants peuvent adapter un seul ou plusieurs des éléments du curriculum (contenu, processus, productions) en se basant sur une ou plusieurs caractéristiques de l'élève (préparation, intérêt, profil d'apprentissage) à n'importe quel moment d'un cours ou d'un module. Cependant, il n'est pas nécessaire de différencier tous les éléments de toutes les manières possibles. Des classes différenciées efficaces comprennent des moments où tout le groupe a le même menu non différencié. Modifiez des éléments du curriculum seulement si vous en détectez le besoin chez un élève ou si vous avez la conviction qu'une modification augmentera les probabilités qu'un apprenant comprenne mieux des idées importantes et qu'il intègre efficacement des habiletés essentielles.

Chaque élève se sent respecté dans son travail

Dans les classes différenciées, les apprenants ont un objectif commun : acquérir certaines connaissances et développer certaines habiletés essentielles. Cependant, des élèves ont besoin que l'on répète souvent les expériences pour les comprendre alors que d'autres les maîtrisent rapidement. L'enseignant d'une classe différenciée sait qu'il ne respecte pas les élèves en ignorant leurs différences d'apprentissage. Il essaie continuellement de saisir le plus efficacement possible ce que les élèves ont besoin d'apprendre et il tente d'offrir différentes options d'apprentissage aussi souvent qu'il le peut. Il montre du respect aux apprenants en portant attention à leurs points communs comme à leurs différences et non pas en les traitant tous de la même manière.

Par exemple, des élèves comprennent mieux une idée quand elle est directement reliée à leur vie et à leurs propres expériences. D'autres songent à l'idée de manière plus conceptuelle. Plusieurs élèves visent la précision et évitent l'incertitude de la créativité, mais leurs camarades apprécient l'aventure de la divergence et déplorent l'ennui des exercices imposés. Pour raconter une histoire, des élèves préfèrent la chanter ; d'autres, danser sur son thème ; certains aiment mieux la dessiner ou encore écrire aux auteurs ou aux personnages.

Finalement, ce n'est pas la standardisation qui assure le fonctionnement d'une classe. C'est un respect profond de l'identité de chaque individu. Un enseignant d'une classe différenciée croit au moins à ces quatre préceptes :

- Respecter le niveau de préparation de chaque élève ;
- S'attendre à ce que tous les élèves progressent et apporter son appui à leur croissance continue ;
- Offrir aux élèves la possibilité de découvrir des connaissances essentielles et d'acquérir des habiletés plus complexes ;
- Offrir aux élèves des tâches qui sont toutes également intéressantes, importantes et attrayantes.

L'enseignant et les élèves collaborent à l'enseignement

Les enseignants sont les architectes de l'apprentissage, mais les élèves doivent participer à son élaboration et à sa construction. C'est à l'enseignant qu'il revient de savoir quel apprentissage est essentiel, de poser un diagnostic, de conseiller, de varier les approches d'enseignement en se basant sur divers objectifs, d'assurer le bon fonctionnement de la classe et de voir à ce que le temps soit bien utilisé. Néanmoins, les élèves doivent collaborer tout autant pour assurer leur apprentissage.

Les élèves peuvent fournir l'information utile au diagnostic, établir des règles pour la classe, participer à la gestion de classe en se basant sur ces règles et apprendre à considérer le temps comme une ressource importante. Les élèves peuvent indiquer à l'enseignant si la matière ou la tâche est trop simple ou trop complexe, à quel moment l'apprentissage est intéressant (et à quel moment il ne l'est pas), à quel moment ils ont besoin d'aide et à quel moment ils sont prêts à travailler de façon autonome. Lorsqu'ils participent à l'élaboration de tous les volets de la vie en classe, les élèves développent un sentiment d'appartenance et deviennent plus habiles à se comprendre eux-mêmes et à faire des choix qui améliorent leur propre apprentissage.

Dans une classe différenciée, l'enseignant est le leader, mais comme tous les bons meneurs, il assiste de près les membres de son équipe et les implique intensément dans l'aventure qu'ils vivent. Ensemble, l'enseignant et les élèves planifient, fixent des objectifs, évaluent les progrès, analysent les succès et tirent des leçons de leurs erreurs. Certaines décisions s'appliquent à toute la classe, d'autres sont spécifiques à chaque individu.

Une classe différenciée est, par nécessité, centrée sur l'élève. Les élèves sont les travailleurs. L'enseignant planifie l'emploi du temps, de l'espace, du matériel et des activités. Son efficacité augmente avec l'habileté des élèves à s'entraider et à s'aider eux-mêmes en vue de l'atteinte des objectifs communs et individuels.

L'enseignant équilibre les normes du groupe et des individus

Dans de nombreuses classes, l'élève « n'a pas réussi » sa cinquième année s'il n'a pas atteint les « critères » fixés pour la cinquième année. Le fait qu'il ait progressé plus que tous ses camarades de classe ne pèse pas beaucoup dans la balance s'il ne répond pas aux attentes associées à son niveau scolaire. De la même manière, une élève doit faire sa cinquième année, même si elle a atteint deux ans auparavant les critères propres à ce niveau. On dit souvent de cette élève : « Elle réussit bien toute seule. Elle réussit déjà bien. »

Les enseignants d'une classe différenciée comprennent les normes qui s'appliquent aux groupes. Ils comprennent aussi les normes qui s'appliquent aux individus. Quand un élève a des difficultés, l'enseignant poursuit deux objectifs. Le premier est d'accélérer, autant que possible, la compréhension et la maîtrise des habiletés de cet apprenant tout en s'assurant qu'il comprend véritablement et qu'il peut se servir de ses habiletés d'une manière significative. Le second objectif est de s'assurer que l'élève et ses parents sont conscients des objectifs personnels et de la progression de l'individu.

Un bon entraîneur n'atteint jamais le succès ni ne mène son équipe à la victoire en misant sur l'homogénéité du groupe. Pour que ses joueurs atteignent le succès, il doit les guider afin que chacun d'eux soit le meilleur possible. Aucune faiblesse liée à la compréhension ou à la maîtrise d'une habileté n'est laissée au hasard. Chaque joueur joue en mettant à profit ses compétences et non en traînant ses faiblesses. L'expression « assez bon » n'existe pas. Dans une véritable classe différenciée, l'évaluation, l'enseignement, la rétroaction et le classement tiennent compte des objectifs et des normes s'adressant au groupe comme à l'individu.

L'enseignant et les élèves travaillent ensemble avec flexibilité

Comme un orchestre, qui est formé d'individus, d'ensembles, de sections et de solistes, la classe différenciée est basée sur des individus, sur de petits groupes variés et sur la classe dans son ensemble. Tous « apprennent à jouer la partition » comme un tout, même s'ils le font en jouant des instruments, des solos et des rôles variés.

Pour répondre aux différents besoins d'apprentissage, les enseignants et les élèves travaillent ensemble de différentes manières. Ils exploitent le matériel de manière flexible et le rythme de travail est adapté aux besoins. Tantôt les élèves de la classe travaillent ensemble, tantôt leur travail est plus efficace par petits groupes. Quelquefois, tout le groupe utilise le même matériel ; à d'autres moments, il est préférable de mettre du matériel varié à la disposition de tous. Il arrive que tous les élèves aient terminé leurs tâches en même temps. Mais souvent, certains élèves ont besoin de plus de temps pour accomplir le travail. À certains moments, l'enseignant détermine la composition des équipes de travail, mais il laisse les élèves choisir leur partenaire à d'autres moments. Quand c'est l'enseignant qui décide, il tient compte de la préparation, de l'intérêt ou du profil d'apprentissage des élèves, qu'il peut regrouper selon leurs similarités ou, au contraire, selon leurs différences. Parfois, les tâches sont assignées au hasard. C'est souvent l'enseignant qui aide les élèves, mais l'entraide que les élèves se procurent les uns aux autres s'avère parfois la meilleure.

Dans une classe différenciée, l'enseignant conçoit aussi une grande variété de stratégies d'enseignement afin de fixer son attention sur les individus et sur les petits groupes et non pas sur toute la classe. Quelquefois, l'enseignant apprécie les contrats d'apprentissage pour cibler l'enseignement ; à d'autres moments, une recherche indépendante fonctionne bien. L'objectif est d'établir un lien entre les apprenants, les connaissances et les habiletés essentielles, à un niveau approprié d'intérêt et de défi.

Deux outils pour favoriser la réflexion sur la différenciation

La figure 2.1, à la page suivante, présente les concepts de base de la différenciation et propose une synthèse des éléments qui seront abordés dans le présent ouvrage. C'est un bon outil pour vous permettre d'entamer votre réflexion. Dans une classe différenciée, l'enseignant fournit des efforts constants pour répondre aux besoins d'apprentissage des élèves. Il est guidé par des principes généraux visant à faciliter l'enseignement dans une classe où l'attention portée aux individus est efficace. Il différencie ensuite les contenus, les processus et les productions en se basant sur les intérêts particuliers de l'élève, sur son profil d'apprentissage et sur son degré de préparation. Pour y arriver, il se sert d'une grande variété de stratégies d'enseignement et de gestion.

L'enseignant n'essaie pas de tout différencier tous les jours pour chacun. C'est impossible et cette approche détruirait le sentiment d'intégrité de la classe. En se basant sur une évaluation formelle ou informelle, il choisit plutôt des moments précis pour faire de la différenciation. Il sélectionne aussi des moments pour différencier les intérêts afin que les élèves établissent un lien entre ce qu'ils apprennent et ce qui est important pour eux. Il offre aussi des choix qui permettent tout naturellement à certains élèves de travailler soit seuls, soit en groupe. Ces choix permettent à certains élèves de comprendre des idées grâce à une approche pratique et à d'autres, grâce à une approche visuelle. La différenciation est une manière organisée, souple et dynamique d'ajuster l'enseignement et l'apprentissage de manière à atteindre les enfants à leur niveau et à leur permettre, en tant qu'apprenants, de progresser au maximum.

Toutes les classes ont de multiples facettes. Cependant, les classes différenciées diffèrent de façon importante des classes traditionnelles. Le tableau 2.1 (voir la page 23) illustre les différences entre ces types de classes. Si vous le voulez, ajoutez au tableau les comparaisons suscitées par la lecture de ce livre et par les réflexions que l'observation de votre propre classe vous inspire. Rappelez-vous qu'il y a de nombreuses zones communes entre une classe résolument traditionnelle et une classe résolument différenciée (à condition que ces deux extrêmes existent). Une manière intéressante de s'autoévaluer est de considérer les deux colonnes du tableau comme un continuum. Faites un X, sur le continuum, au niveau où vous croyez que votre enseignement se situe et faites un X là où vous souhaiteriez qu'il se retrouve.

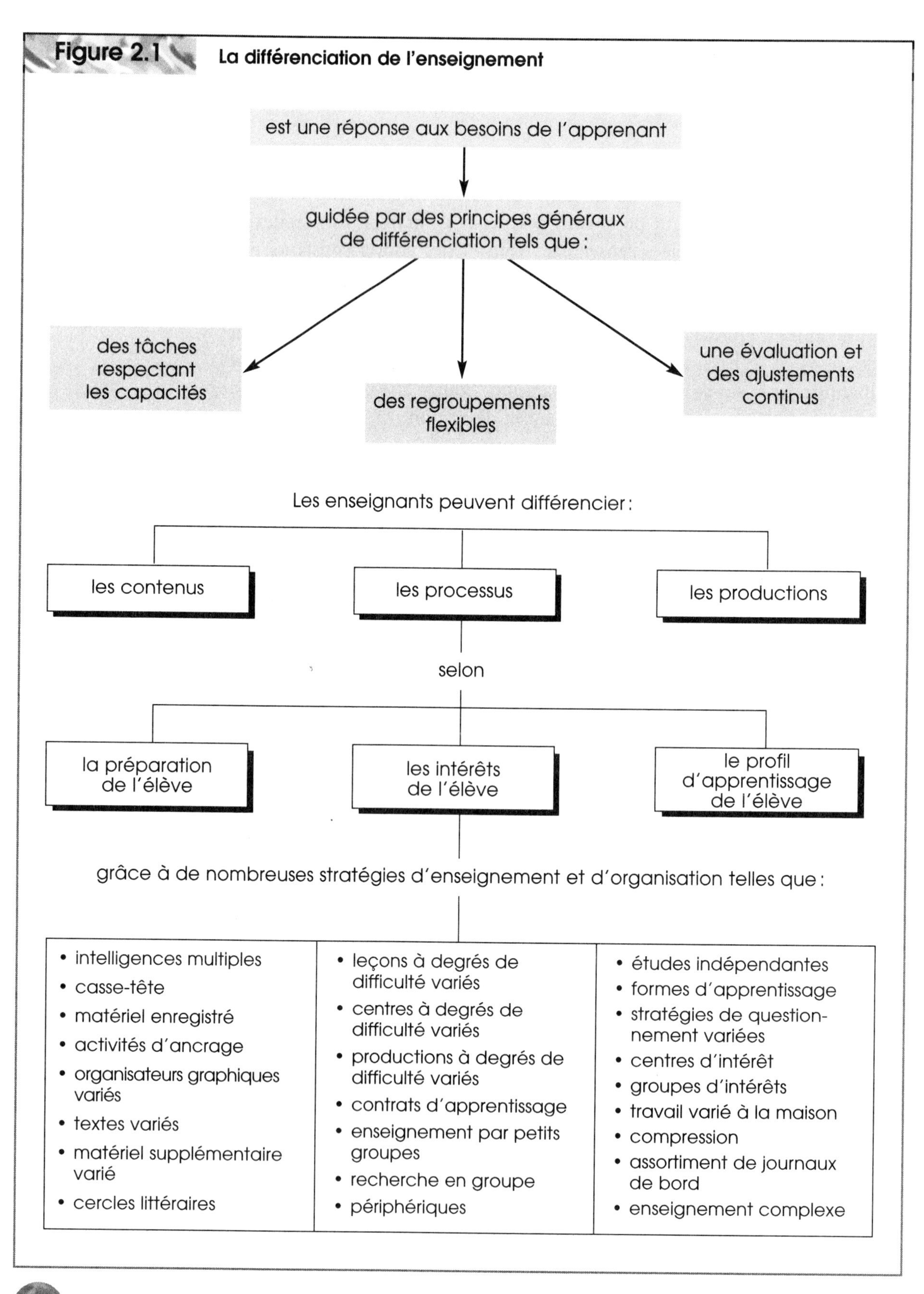
Figure 2.1
La différenciation de l'enseignement
est une réponse aux besoins de l'apprenant
guidée par des principes généraux de différenciation tels que :
des tâches respectant les capacités
des regroupements flexibles
une évaluation et des ajustements continus
Les enseignants peuvent différencier :
les contenus
les processus
les productions
selon
la préparation de l'élève
les intérêts de l'élève
le profil d'apprentissage de l'élève
grâce à de nombreuses stratégies d'enseignement et d'organisation telles que :
• intelligences multiples
• casse-tête
• matériel enregistré
• activités d'ancrage
• organisateurs graphiques variés
• textes variés
• matériel supplémentaire varié
• cercles littéraires
• leçons à degrés de difficulté variés
• centres à degrés de difficulté variés
• productions à degrés de difficulté variés
• contrats d'apprentissage
• enseignement par petits groupes
• recherche en groupe
• périphériques
• études indépendantes
• formes d'apprentissage
• stratégies de questionnement variées
• centres d'intérêt
• groupes d'intérêts
• travail varié à la maison
• compression
• assortiment de journaux de bord
• enseignement complexe

Tableau 2.1 La classe traditionnelle et la classe différenciée

Classe traditionnelle	Classe différenciée
Les différences entre les élèves sont occultées ou on s'y intéresse quand elles sont problématiques.	Les différences entre les élèves sont observées et servent de base à la planification.
L'évaluation est plus courante à la fin de l'apprentissage et vise à déterminer «qui a réussi».	L'évaluation est continue et permet de diagnostiquer les besoins de l'apprenant et d'ajuster l'enseignement afin d'y répondre.
Une perception relativement étroite de l'intelligence prédomine.	L'attention apportée aux différentes formes d'intelligence est évidente.
Il n'existe qu'une seule définition de l'excellence.	La définition de l'excellence est, dans une large mesure, basée sur la progression de l'individu à partir d'un point de départ.
L'intérêt des élèves n'est pas souvent pris en considération.	Les élèves sont souvent incités à faire des choix selon leurs intérêts en matière d'apprentissage.
On tient peu compte des profils d'apprentissage.	De nombreux profils d'apprentissage sont reconnus.
L'enseignement magistral domine.	De nombreux outils pédagogiques sont utilisés.
La nécessité de couvrir tous les manuels et l'ensemble du curriculum oriente l'enseignement.	L'enseignement est directement influencé par le niveau de rendement de l'élève, son intérêt et son profil d'apprentissage.
L'apprentissage est centré sur la maîtrise, hors contexte, des faits et des habiletés.	L'apprentissage est centré sur l'utilisation d'habiletés essentielles pour comprendre les concepts-clés et les principes.
La norme à suivre est la seule option pour chaque exercice.	Des exercices offrant de multiples options sont fréquemment soumis.
Les élèves travaillent tous à un même exercice dans un délai fixe.	L'emploi du temps est souple et adapté aux besoins de l'élève.
Une seule source d'information est offerte.	De multiples matériaux sont fournis.
On ne recherche qu'une seule interprétation des idées ou des événements	Les idées et les événements qui ouvrent diverses perspectives sont préconisés.
L'enseignant est directif à l'égard du comportement des élèves.	L'enseignant stimule les habiletés des élèves pour qu'ils deviennent des apprenants plus autonomes.
L'enseignant résout les problèmes.	Les élèves aident d'autres élèves, et l'enseignant résout les problèmes.
L'enseignant utilise les mêmes critères pour noter tous les élèves.	Les élèves établissent avec l'enseignant les objectifs individuels ainsi que les objectifs de groupe.
Le plus souvent, on évalue d'une seule manière.	Les élèves sont évalués de différentes manières.

CHAPITRE 3

Repenser l'école : à qui s'adresse-t-elle ?

Plusieurs s'imaginent que la différenciation des apprentissages est un concept récent, créé au moment où les réformes de l'éducation ont commencé. Pourtant, ce n'est que le résultat naturel d'une meilleure compréhension des modes d'apprentissage des enfants. Pour mieux comprendre ce qui s'appelle maintenant « l'enseignement différencié », revoyons les grandes lignes de l'histoire de l'éducation.

Même l'enseignement change

Remontez le temps jusqu'au début du XXe siècle et tentez d'imaginer ce qu'était la vie à cette époque. Puis, en accéléré, revenez à aujourd'hui. Dans de nombreux domaines, il y a eu plus de changements au cours de ce siècle que pendant les siècles précédents. Imaginez ce qu'étaient l'agriculture, la médecine, les transports il y a de cela 100 ans et ce qu'ils sont aujourd'hui. Pensez aux changements qu'ont connus le génie, le vêtement et les communications au cours du XXe siècle. La transformation est fulgurante! Même si, à l'occasion, nous regrettons le « bon vieux temps », nous ne voudrions pas des médecins, des systèmes de communications ou de la mode d'il y a 100 ans.

Même si l'éducation semble plutôt statique, elle a aussi beaucoup évolué. Dans les domaines de l'enseignement et de l'apprentissage, nous comprenons aujourd'hui beaucoup de choses que nous n'aurions pas pu connaître il y a un siècle ou même quelques décennies. La psychologie et l'étude du cerveau nous ont permis de comprendre certaines choses, l'observation continue des classes nous en a fait comprendre d'autres. Quelle que soit sa provenance, cette évolution de l'enseignement est tout aussi importante que celle qui nous a fait passer du crayon à la machine à écrire et ensuite à l'ordinateur!

De nouvelles manières de voir l'école

Nous pourrions écrire des livres entiers sur l'évolution des découvertes relatives aux mécanismes d'apprentissage des enfants ou sur l'impact de ces connaissances sur le travail des enseignants. Même si ce n'est pas l'objectif du présent ouvrage, il est important de rappeler comment ces récentes observations ont affecté l'enseignement et l'apprentissage.

L'enseignement différencié valorise la reconnaissance et le respect de l'hétérogénéité de la classe ; il la favorise même. Des découvertes récentes sur l'apprentissage viennent confirmer qu'il s'agit d'un bon choix. Voici trois principes dont l'application est un gage d'enseignement différencié efficace, mais que les enseignants n'ont pas toujours connus ou clairement soutenus.

L'intelligence varie

Nous pouvons tirer au moins trois conclusions des recherches sur l'intelligence effectuées au cours des 50 dernières années. D'abord, *l'intelligence comporte de nombreuses facettes.* Howard Gardner (1991, 1993, 1997) soutient qu'il y a huit types d'intelligence: verbale, logicomathématique, visuelle et spatiale, corporelle et kinesthésique, musicale et rythmique, interpersonnelle, intrapersonnelle et, enfin, naturaliste. Robert Sternberg (1985, 1988, 1997) soutient qu'il y en a trois: analytique, pratique et créative. Avant eux, d'autres chercheurs, tels Thorndike, Thurstone et Guilford (Horowitz et O'Brien, 1985) ont aussi défini divers types d'intelligence. Les noms donnés aux divers types d'intelligence changent, mais deux éléments communs et significatifs se dégagent de ces recherches :

- Les individus pensent, apprennent et créent de manières différentes ;
- La manière d'aborder l'apprentissage privilégiée au regard des divers types d'intelligence affecte le développement du potentiel d'une personne.

La seconde conclusion majeure stipule que *l'intelligence change et n'est pas fixe.* En d'autres mots, le fait de donner aux enfants des expériences d'apprentissage riches peut favoriser le développement de leur intelligence ; au contraire, ne pas leur permettre de telles expériences peut réduire leur intelligence (Caine et Caine, 1991).

La troisième conclusion provient des recherches, de plus en plus développées, sur le cerveau (Caine et Caine, 1991 ; Sylwester, 1995). Plus les neurones sont actifs, plus ils grandissent et se développent ; au contraire, ils s'atrophient quand ils sont inutilisés. *L'apprentissage actif change la physiologie du cerveau.*

Ces théories suggèrent des actions précises aux enseignants. Par exemple, ces derniers doivent être sensibles aux divers types d'intelligence et ne pas se limiter à un seul type dans leur enseignement. Les élèves qui arrivent à l'école sans avoir vécu de riches expériences d'apprentissage peuvent rattraper le temps perdu si on leur donne l'occasion de les vivre en classe. Tous les élèves doivent poursuivre un apprentissage continu et vigoureux, sinon, leur cerveau risque d'être moins performant.

Le cerveau a soif de signification

Les progrès de la technologie de l'imagerie médicale permettent de voir l'intérieur du cerveau pour tenter de mieux comprendre comment il fonctionne. Ces découvertes ont permis de faire évoluer rapidement les connaissances sur les modalités d'apprentissage et sur les techniques d'enseignement qui les favorisent. Nous savons maintenant quel type d'apprentissage fonctionne le mieux pour stimuler le cerveau (Caine et Caine, 1991, 1994, 1997 ; Jensen, 1998 ; Kalbfleisch, 1997 ; Sylwester, 1995).

Le cerveau recherche des modèles significatifs et est imperméable aux choses qui ne signifient rien. Même si le cerveau retient bien de petites informations isolées ou disparates, il retient beaucoup plus efficacement des informations groupées. Les idées et les catégories de l'information groupée contribuent à donner un sens à l'information. Le cerveau tente constamment de relier des parties à un tout, et les individus cherchent à relier de nouvelles informations à celles qu'ils ont déjà comprises.

Le cerveau retient mieux l'information qu'il comprend que celle qui lui est imposée. Il réagit peu aux choses sans grande signification. Il traite de manière beaucoup plus efficace les choses qui ont une signification profonde ou personnelle, qui sont importantes, pertinentes, formatrices pour la vie ou qui font appel aux émotions.

Ces constats, et bien d'autres, nous aident à comprendre beaucoup mieux l'importance de l'individualité des apprenants et son impact sur un programme d'études et un enseignement qui se veulent efficaces. Les recherches sur le cerveau nous indiquent que le cerveau de chaque apprenant est unique et que les enseignants doivent offrir aux élèves un grand nombre d'occasions différentes d'aborder la matière et de la comprendre. Les élèves ne peuvent pas toujours établir les mêmes liens entre ce qui est nouveau pour eux et ce qu'ils connaissent, car ce qu'un enfant connaît déjà est peut-être inconnu de son camarade.

Les découvertes sur le cerveau permettent de plus d'affirmer que le programme d'études se doit de contribuer au développement de la compréhension ; il devrait être structuré autour de catégories, de concepts et de principes directeurs. Un programme significatif doit être intéressant et d'une grande pertinence ; il doit faire appel aux expériences et aux émotions de l'apprenant. Si nous voulons que les élèves mémorisent, comprennent et utilisent des idées, des renseignements et des habiletés, nous devons mettre à leur disposition plusieurs façons de les comprendre et de se les approprier en leur offrant des situations d'apprentissage complexes.

Les recherches sur le cerveau démontrent clairement que l'apprentissage consiste à établir des liens entre ce qui est nouveau et ce qui est connu ; les enseignants doivent donc offrir aux élèves de nombreuses occasions de créer de tels liens. Cette tâche comporte trois étapes. Premièrement, les enseignants doivent définir les concepts, les principes et les habiletés essentiels dans chaque domaine. Ils doivent apprendre à cibler facilement les besoins d'apprentissage des élèves pour ensuite utiliser cette information dans le but d'offrir aux élèves des occasions de créer des liens entre leurs connaissances antérieures et la matière abordée.

On apprend mieux quand les défis sont réalistes

Les découvertes sur le cerveau et la psychologie nous ont fait comprendre qu'un individu apprend mieux quand le défi qu'il doit relever est réaliste (Bess, 1997 ; Csikszentmihalyi, Rathunde & Whalen, 1993 ; Howard, 1994 ; Jensen, 1998 ; Vygotsky, 1978, 1986). Quand une tâche est beaucoup trop difficile pour un apprenant, ce dernier se sent menacé et régresse en se mettant en mode d'autoprotection, de sorte qu'il ne peut pas continuer à réfléchir convenablement ou à résoudre des problèmes. Par ailleurs, une tâche trop simple inhibe aussi la pensée et la résolution de problème de l'apprenant, qui se met en mode de relaxation.

Une tâche représente un défi approprié quand les apprenants doivent faire face à l'inconnu, mais qu'ils connaissent assez de choses pour commencer le travail et qu'ils reçoivent aussi un soutien suffisant pour atteindre un autre niveau d'apprentissage. Autrement dit, les élèves qui atteignent rarement les objectifs perdent leur motivation d'apprendre. Les élèves qui réussissent trop facilement la perdent aussi. Pour poursuivre leur apprentissage, les élèves doivent croire en l'effort et au fait que le travail entraîne souvent la réussite. Les enseignants doivent aussi garder en mémoire que ce qui est un défi de moyenne importance aujourd'hui ne représentera pas nécessairement le même défi demain. Le défi doit grandir en même temps que l'apprentissage des élèves.

De même, ce qui représente un niveau moyen de défi et une bonne motivation pour un élève peut être un défi mineur (donc peu motivant) pour un camarade de classe. La même tâche peut être trop stressante pour un autre. Les tâches d'apprentissage doivent être ajustées au niveau d'apprentissage de chaque élève. De plus, les tâches doivent devenir de plus en plus complexes et représenter un défi de plus en plus grand pour permettre aux élèves d'apprendre continuellement.

Penser aux élèves d'aujourd'hui

Depuis plus de 50 ans, la population étudiante a énormément changé. Aujourd'hui, tous les enfants doivent aller à l'école, quels que soient leur sexe, leur statut socio-économique ou leur état physique et mental. Autrefois, les enfants ne fréquentaient pas tous l'école. Les enfants handicapés ou ceux qui avaient de graves problèmes d'apprentissage restaient à la maison. Les enfants de familles pauvres et les jeunes immigrants travaillaient dans des manufactures ou ailleurs pour aider à boucler les fins de mois. Les enfants de fermiers travaillaient dans les champs et fréquentaient l'école en dehors des périodes de semailles ou de récoltes. Les filles accédaient rarement à des études avancées, car leur rôle d'épouses et de mères ne nécessitait pas beaucoup d'éducation, croyait-on. Pour leur part, les enfants de familles nanties avaient souvent des tuteurs ou fréquentaient un pensionnat privé.

Il n'y a pas si longtemps, les enfants habitaient pour la plupart avec leurs deux parents. Au moins un des deux était à la maison quand l'enfant partait pour l'école ou en revenait. Nous enseignons maintenant à des enfants qui ont bien souvent un seul parent à la maison et qui sont seuls au moment du départ pour l'école et au retour à la maison. Quoique cette situation ne soit pas nécessairement négative en soi, elle complique la vie des enfants. Quelquefois, les enfants ont peur quand ils se retrouvent seuls. Plusieurs enfants auraient besoin d'une aide constante à la maison pour suivre leur progression scolaire, pour les soutenir dans leurs devoirs ou même simplement pour les écouter raconter leur journée.

Nous enseignons à des enfants qui, pour le meilleur ou pour le pire (probablement les deux), sont des enfants de l'ère de l'électronique. Leur monde est à la fois plus grand et plus petit que jadis. Ils savent davantage de choses, mais comprennent moins bien ce qu'ils savent. Ils ont l'habitude de divertissements rapides et instantanés, mais pourtant, leur imagination est moins active. Ils doivent composer avec des réalités et des problèmes inconnus des enfants d'autrefois, et nombre d'entre eux possèdent manifestement un plus petit encadrement pour résoudre intelligemment ces problèmes. Ils sont conscients de toutes sortes de possibilités offertes par le monde adulte, mais ne savent pas comment jeter des ponts pour les atteindre. Ces jeunes personnes sont à l'aise avec les technologies et ont de la facilité à les utiliser alors que bien des adultes qui sont « responsables » de leurs univers les craignent.

De nos jours, des enfants aux bagages bien différents fréquentent les mêmes écoles. Les enseignants ne peuvent plus tenir pour acquis que tous ces jeunes partagent les mêmes références traditionnellement liées à l'enfance. Un abîme sépare ceux qui ont bénéficié d'expériences riches dans leur enfance et ceux qui n'ont pas eu cette chance.

Les efforts pour l'équité et la réussite

De nos jours, de nombreux élèves viennent de milieux où soutien et encouragements sont déficients. Ces enfants ont pour la plupart un immense potentiel d'apprentissage, mais ce dernier est limité par un manque d'expériences, d'appui, de modèles et de perspectives d'avenir. Si le potentiel de ces jeunes n'était pas ainsi limité, l'éducation jouerait un rôle crucial dans leur projet de vie.

Par ailleurs, beaucoup d'autres apprenants arrivent à l'école avec des habiletés et des connaissances qui leur donnent des mois et même des années d'avance sur les apprentissages qu'ils devraient avoir acquis selon le curriculum.

L'école doit appartenir à tous ces enfants. Les enseignants appliquent souvent l'équité avec un premier groupe et parlent de réussite et d'excellence à un second groupe. En réalité, l'équité et la réussite devraient être des priorités pour chaque enfant. Et cela sera possible pour les enfants en difficulté d'apprentissage si nous nous assurons qu'ils fréquentent des classes où les enseignants sont prêts à les aider à construire leur savoir grâce à des expériences stimulantes et variées, que leur environnement ne leur a peut-être pas offertes jusque là. Nous ne pouvons garantir la réussite des élèves en situation d'échec sans développer leur plein potentiel, et ce, avec autant d'énergie et de rigueur que de méthode. Nous devons construire de grands rêves avec eux et devenir leurs partenaires dans la réalisation de ceux-ci. L'équité et la réussite doivent faire partie de notre « carte routière » si nous voulons aider ces élèves dans leur cheminement.

Dans le même ordre d'idées, l'équité doit aussi permettre aux enfants doués de progresser, même s'ils entrent à l'école avec un bagage personnel qui dépasse déjà les attentes associées à leur niveau scolaire dans un ou plusieurs domaines. Leurs enseignants doivent être fortement déterminés à s'assurer que leur potentiel ne stagne pas. Ces enfants ont aussi besoin d'enseignants qui sont stimulants et qui visent le dépassement de soi : des enseignants qui les aident à rêver grand et qui leur font relever des défis personnels. L'équité et la réussite doivent faire partie de notre carte routière pour ces élèves aussi.

Tout enfant est en droit de s'attendre à l'enthousiasme, à la disponibilité et à l'énergie de son enseignant. Tout enfant a droit à un enseignant qui fait tout en son pouvoir pour l'aider à réaliser, chaque jour, son plein potentiel. Il est inacceptable qu'un enseignant traite un enfant ou un groupe d'enfants comme si ce dernier n'avait pas sa place, comme s'il nuisait, comme s'il était sans avenir ou comme s'il ne méritait pas d'attention particulière.

Les regroupements et la recherche de l'équité et de la réussite

Le système scolaire a essayé de répondre aux besoins spécifiques des apprenants en difficulté d'apprentissage et à ceux des apprenants plus avancés en retirant ces élèves des classes régulières pendant une certaine partie de la journée. Ces jeunes faisaient partie de classes spéciales où ils retrouvaient des élèves présentant les mêmes difficultés qu'eux ; leurs enseignants avaient les connaissances et les habiletés nécessaires pour répondre à ces besoins particuliers. Plusieurs excellentes études indiquent que de telles expériences d'apprentissage homogènes ne donnent pas de bons résultats pour les élèves en difficulté (Oakes, 1985 ; Slavin, 1987, 1993), résultats que le gros bon sens et l'observation de ces classes corroborent. Trop souvent, les attentes des enseignants envers les apprenants de ces classes d'adaptation diminuent, le matériel est limité, le discours est simplifié à l'extrême et le rythme ralentit. Trop peu de ces élèves « échappent » à ces classes spéciales pour se joindre à des classes régulières. En d'autres mots, les classes spéciales confinent les apprenants « spéciaux » à un niveau spécial...

Les meilleures recherches (Allan, 1991 ; Kulik & Kulik, 1991) indiquent également que lorsque les élèves doués sont dans des classes homogènes accélérées, ils bénéficient d'un rythme rapide, d'un cours de niveau supérieur, d'attentes élevées de la part de l'enseignant et de matériel enrichi. En d'autres mots, ils continuent à progresser. Une fois de plus, le bon sens et l'expérience vécue en classe confirment ce constat.

En théorie, des classes hétérogènes devraient permettre l'équité et la réussite pour tous les apprenants. Toutefois, les expériences faites jusqu'ici laissent poindre trois faiblesses de cette théorie.

- Premièrement, les élèves en difficulté auront plus de succès dans des classes hétérogènes seulement si nous sommes prêts à nous placer à leur niveau et que nous sommes capables de développer leur apprentissage jusqu'à ce qu'ils puissent fonctionner avec autant de compétence et de confiance que les autres apprenants du groupe. On entend souvent dire que les classes hétérogènes offrent des défis importants aux élèves en difficulté, qui sont laissés à eux-mêmes pour trouver la manière de les relever... Une telle approche ne favorise pas de réels progrès pour ces élèves.
- Deuxièmement, les élèves avancés d'une classe hétérogène doivent souvent produire une somme de travail plus importante que ce qu'ils ont la capacité réelle d'accomplir pendant une journée de classe pour assurer

le succès des autres élèves auxquels ils servent de guides. Ils doivent souvent attendre (patiemment, il va sans dire) pendant que les autres élèves apprennent à maîtriser des habiletés qu'eux maîtrisent déjà. Implicitement et quelquefois explicitement, nous soutenons que les élèves avancés n'ont pas besoin de conditions spéciales d'enseignement puisqu'ils ont déjà dépassé les normes. Cette approche ne produira donc pas de véritable progrès pour ces élèves non plus.

- Le troisième problème lié à l'hétérogénéité telle qu'elle est traditionnellement expérimentée est que l'on suppose que ce qui arrive aux « élèves types » est ce qui doit arriver. Notre prémisse a toujours été que chaque élève peut bénéficier de classes régulières. En réalité, il arrive souvent que la norme soit beaucoup moins élevée que ce dont les élèves sont réellement capables, même les élèves dits « moyens ».

Lorsque nous mettrons sur pied des groupes d'apprentissage efficaces et dans lesquels nous répondrons, spécifiquement et systématiquement, aux besoins d'apprentissage de chacun, nous déploierons beaucoup d'efforts pour assurer l'équité et la réussite dans les écoles. Cependant, on voit souvent dans les classes hétérogènes qu'on utilise une stratégie unique pour tous ; le plan d'apprentissage freine plusieurs apprenants. De telles classes ne favorisent ni l'équité ni la réussite.

L'enseignement traditionnel : encore tenace...

Malgré les connaissances nouvelles et percutantes en éducation, les classes n'ont pas changé beaucoup depuis 100 ans. Nous croyons encore qu'un élève d'un âge donné est suffisamment semblable aux autres élèves du même âge pour qu'il puisse suivre le même programme d'études de la même manière et en même temps que tous les élèves du même âge. En plus, les écoles fonctionnent comme si tous les élèves devaient terminer leurs travaux au même moment ou presque. La durée de l'année scolaire doit aussi être de la même durée pour tous les apprenants. Les écoles adoptent généralement un seul manuel scolaire, font passer les mêmes tests à la fin d'une étape et un autre à la fin de l'année pour donner des notes. Les enseignants utilisent le même système pour noter tous les élèves du même âge et du même niveau scolaire, quelle que soit leur situation de départ au début de l'année scolaire.

Le programme d'études est basé sur des objectifs qui exigent des élèves qu'ils assimilent et retiennent des faits et des habiletés qui sont souvent loin d'avoir une signification par rapport au contexte. Les plus importantes techniques éducatives sont des exerciseurs. Les enseignants disent aux élèves ce qu'ils devront répéter, un héritage du behaviorisme qui date des années 1930. Les enseignants « dirigent » les classes et, la plupart du temps, travaillent beaucoup plus fort que les élèves. Puisque nous nous concentrons sur le développement de l'intelligence à l'école, les éducateurs semblent convaincus que seules quelques portions analytiques d'intelligence verbale et mathématique sont importantes.

Cette approche est semblable à celle qu'on utilisait il y a presque un siècle : un peu de lecture, d'écriture et d'arithmétique suffisait pour préparer les élèves à une vie d'adultes dont les carrières étaient dominées par l'agriculture ou le travail à une chaîne de montage. Les écoles préparent encore les élèves pour réussir des tests plutôt que pour affronter la vie. Souvent, les bandes dessinées font ressortir mieux cette idée que les plus sérieux écrits.

De nombreux observateurs ont démontré pourquoi les écoles étaient si imperméables au changement (Caine et Caine, 1997 ; Eisner, 1994 ; Fullan et Stiegelbauer, 1991 ; Fullan, 1993 ; Sarason, 1990, 1993). Il semble que pendant que le monde entier progressait pendant le siècle dernier, la *pratique* de l'éducation stagnait. Pour contrer cette stagnation, il faut commencer une recherche pour apprendre à différencier l'enseignement destiné à une population d'étudiants variée en admettant quelques hypothèses importantes :

- Les élèves sont différents en ce qui concerne leur expérience, leur préparation, leur intérêt, leur intelligence, leur langue, leur culture, leur sexe et leur mode d'apprentissage. Comme le dit un enseignant du primaire : « Quand les élèves nous arrivent, ils sont déjà différents. Il est donc normal que notre enseignement soit différencié en fonction des élèves. »
- Pour développer au maximum le potentiel de chaque apprenant, il faut que les éducateurs rejoignent chaque élève à son niveau de rendement afin qu'il progresse de façon appréciable pendant chaque étape scolaire.
- Les classes qui ignorent les différences entre les élèves ne pourront pas maximiser le potentiel de ceux qui présentent un écart important par rapport à la « norme ». Cela s'applique même dans les classes « homogènes », où les différences sont inévitablement très marquées.
- Dans le but de s'assurer du progrès maximal des élèves, il faut que les enseignants apportent des modifications au curriculum pour les élèves plutôt que de leur demander de s'y adapter. En fait, les élèves ne réussissent pas à modifier leur propre curriculum.

- Les meilleures méthodes d'enseignement doivent être le point de départ de la différenciation. Il n'est pas profitable de modifier des méthodes qui n'assurent pas la meilleure compréhension possible de l'enseignement et de l'apprentissage. L'éducateur renommé Seymour Sarason (1990) nous rappelle que les efforts qui ne sont pas guidés par une profonde compréhension de ce qui stimule l'élève à acquérir des connaissances sont voués à l'échec.
- Les meilleures méthodes d'enseignement, lorsqu'elles sont modifiées pour répondre aux différences entre les élèves, profitent presque à chacun d'eux. La différenciation répond aux besoins des élèves en difficulté comme à ceux des plus avancés. Elle répond aux besoins des élèves dont le français n'est pas la langue maternelle comme à ceux qui ont de fortes préférences quant à leur style d'apprentissage. Elle répond aux besoins d'élèves de cultures et de sexes différents. Elle met en valeur le fait que nous ne sommes pas nés pour devenir des clones des autres.
- Howard Gardner (1997) affirme que même si nous pouvions tous devenir de brillants violonistes, un orchestre a aussi besoin de talentueux musiciens qui jouent des instruments à vent, des instruments de percussion, des cuivres et d'autres instruments à cordes. La différenciation vise à obtenir des résultats de qualité de chaque individu et à donner aux élèves une chance de développer leurs forces respectives

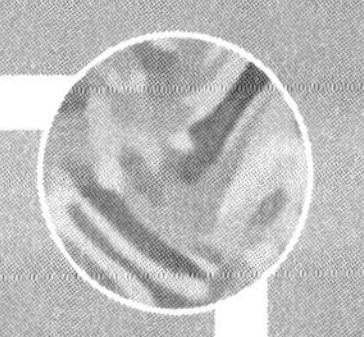

Chapitre 4

Un milieu d'apprentissage qui favorise l'enseignement différencié

Récemment, une enseignante m'a posé une question fascinante, mais sérieuse, à laquelle j'ai répondu de la même manière. Depuis, j'ai reformulé ma réponse une douzaine de fois. Sa question était: « Est-il possible de faire de l'enseignement différencié dans une classe où les pupitres sont bien alignés et où, la plupart du temps, les élèves travaillent seuls et en silence? »

Ses sourcils étaient froncés alors qu'elle me posait la question, et je crois que les miens aussi devaient l'être alors que j'ai répondu: « Oui, je crois que vous pourriez appliquer plusieurs principes de l'enseignement différencié dans cet environnement. Vous pourriez proposer aux élèves des contenus stimulants et des activités qui représentent des défis réalistes. Vous pourriez aussi proposer des tâches adaptées aux intérêts des individus et à la forme d'intelligence de chacun. »

J'ai fait une pause, puis j'ai ajouté: « Vous auriez toutefois des difficultés avec les élèves qui manifestent un grand besoin de collaboration, d'échanges et de mouvement. » Après une seconde pause, j'ai ajouté: « Mais si j'avais le choix entre une classe où tous sont assis en silence à des pupitres bien alignés et où tous travaillent à la même chose, de la même manière et pendant la même période, si j'avais le choix, dis-je, entre cette classe et une autre où les élèves sont assis silencieusement à des pupitres bien alignés et où ils travaillent à des tâches correspondant à des niveaux de difficulté appropriés pour eux et en lien avec leurs intérêts, je choisirais immédiatement la deuxième option. »

J'ai aussi affirmé que ces deux seules options limitaient les élèves et l'enseignant. Je ne me suis pas arrêtée sur une si bonne piste et j'ai poursuivi: « La différenciation des apprentissages perd de son efficacité si l'environnement de la classe n'est pas adéquat. »

La question de cette enseignante était incomplète. Il fallait lire entre les lignes. Au fond, sa question aurait pu se poser ainsi: « Je sais que les élèves arrivent dans ma classe avec un niveau de préparation différent à l'égard de mon programme d'enseignement. Je reconnais que plusieurs perdent leur intérêt à cause de la confusion et de l'ennui. Je peux même accepter de répondre aux intérêts variés et aux profils d'apprentissage des élèves pour les aider à apprendre plus efficacement. Je suis d'accord jusqu'ici. Mais je ne crois pas que je puisse abandonner l'image de la dame qui dirige avec sérieux à l'avant de la classe. Vous proposez que je modifie ma manière d'aborder le programme d'études, mais vous n'exigez quand même pas que je modifie aussi ma propre image d'enseignante! »

Je n'ai pas changé d'idée concernant les choses que j'ai dites à cette enseignante. Je crois encore que les tâches demandées aux élèves doivent être centrées sur la compréhension et les habiletés essentielles. Les tâches doivent être proposées de différentes manières pour que chaque élève soit forcé de sortir de sa « zone de confort ». Ces divers types de tâches sont de loin préférables aux tâches de type traditionnel. Aujourd'hui, je suis encore plus convaincue qu'à cette époque de la haute importance qu'on doit accorder au milieu de vie que représente la classe. D'une certaine manière, cette enseignante me demandait s'il était logique de soigner le rhume d'un patient alors qu'il avait aussi une jambe cassée. Bien sûr, on peut soigner le rhume de cet individu, mais sa jambe cassée continue de le faire souffrir et de le déprimer. Il continue de boiter…

Ce chapitre contient notamment les éléments de réponse que j'aurais pu formuler pour cette enseignante et qui constituent le pivot sur lequel repose le concept d'enseignement différencié. Les enfants, les enseignants et les classes représentent un microcosme de la vie. Si de bonnes choses peuvent survenir dans des microcosmes imparfaits, les grandes choses se produisent généralement dans des environnements solides et sains.

L'enseignement : un triangle d'apprentissage

J'ai déjà été témoin d'une situation où un enseignant de mathématiques jeune, brillant et engagé devait faire face à des élèves démotivés. Les connaissances en géométrie de l'enseignant se révélaient très vastes et approfondies. Les activités qu'il proposait étaient pertinentes et fascinantes. Pourtant, elles ne suscitaient chez les adolescents de sa classe qu'indifférence et hostilité. Dans cette classe, qui aurait dû être exemplaire, régnait un climat d'animosité tacite. J'ai observé ce groupe travailler pendant ce qui m'a semblé une éternité et j'ai été aussi soulagée que l'enseignant et les étudiants quand la cloche nous a délivrés.

« Comment se fait-il que rien ne fonctionne avec ce groupe ? me demanda l'enseignant. Qu'est-ce qui ne va pas ? »

Comme beaucoup d'enseignants, je n'ai pas eu souvent l'occasion de formuler explicitement mes croyances en ce qui a trait à la création d'un environnement favorable à l'apprentissage. J'ai forgé ma pratique, jour après jour, en essayant d'utiliser les techniques qui fonctionnaient et en éliminant celles qui donnaient de moins bons résultats. Je crois que ma réponse à cet enseignant m'a permis de verbaliser ce que mes élèves et mes collègues m'ont appris pendant plus de 20 ans de travail en classe : « L'art d'enseigner, c'est comme un triangle d'apprentissage, un triangle équilatéral dont l'enseignant, les élèves et le contenu représentent chacun un sommet. Si on néglige un des côtés au détriment des autres, l'équilibre est rompu. »

Ce jeune enseignant avait des problèmes avec deux des côtés du triangle (voir la figure 4.1). Même s'il connaissait parfaitement le contenu, il était anxieux et ne se dévouait pas réellement à ses élèves. Il se promenait donc comme un paon dans sa classe, en essayant de convaincre ses élèves (et de se convaincre) qu'il était un enseignant à la mode. Un triangle qui n'a qu'un côté, le contenu, n'est pas un triangle du tout.

Il est important de comprendre les interactions qui doivent avoir lieu dans une classe entre élèves, enseignant et contenu. L'enseignant et les élèves peuvent alors construire ensemble un environnement qui permet de solidifier le triangle de l'apprentissage.

Le sommet du triangle

Par définition, un triangle équilatéral est une figure géométrique qui a trois côtés égaux. Techniquement, un tel triangle n'a pas de sommet puisque n'importe lequel des trois sommets peut être en haut. Cependant, pour nos besoins, l'enseignant doit être en haut du triangle d'apprentissage.

Figure 4.1 **L'art d'enseigner**

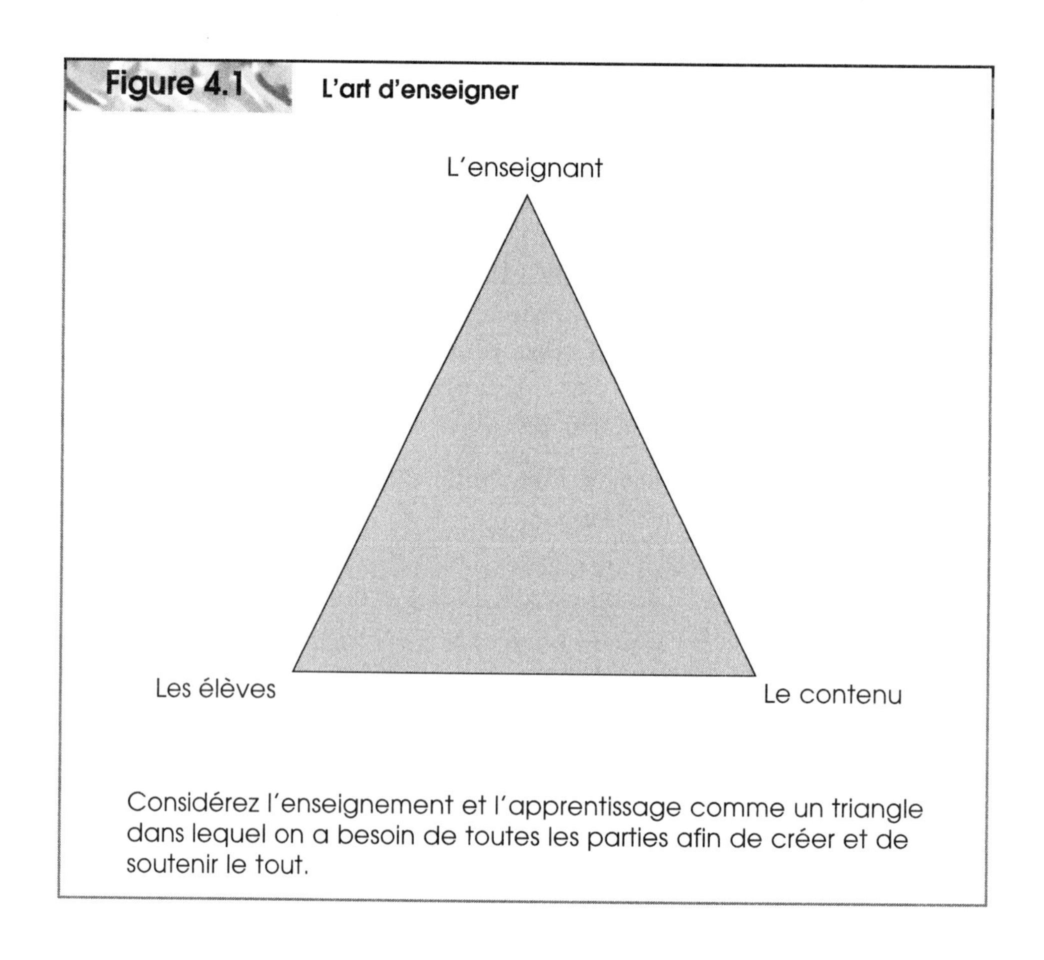

Considérez l'enseignement et l'apprentissage comme un triangle dans lequel on a besoin de toutes les parties afin de créer et de soutenir le tout.

L'enseignant est un leader naturel de la classe efficace. Le leadership peut et doit être partagé avec les apprenants, mais la responsabilité de ce rôle appartient à l'adulte : profession, tradition et loi obligent. Un enseignant qui joue ce rôle doit être sûr de lui ; il doit s'aimer lui-même. Un enseignant qui a peu confiance en lui ne pourra pas créer un climat favorable à l'affirmation de soi pour les élèves et lui-même. Cela ne veut pas dire qu'un enseignant qui est sûr de lui n'a pas de doute, qu'il est libéré de toute incertitude et qu'il n'hésite jamais quand il doit faire un choix. Les variables d'une classe sont nombreuses et elles rendent l'incertitude inévitable et pertinente : un enseignant confiant le sait et il s'attend à apprendre tout au long d'une journée, chaque jour. Il se sent à l'aise avec l'ambiguïté de son rôle de leader. Il est plus important d'avoir l'esprit ouvert que d'avoir toujours raison. Il est plus important d'avoir soif de réponses que de les connaître toutes. Un enseignant sûr de lui termine sa journée en se posant des questions importantes qui le laisseront perplexe jusqu'au lendemain et en ayant la conviction que les expériences vécues pendant cette journée lui procureront les intuitions nécessaires à un lendemain plus efficace. Un tel enseignant croit que le fait d'avoir ces intuitions constitue un défi professionnel et qu'elles engendrent une satisfaction personnelle.

De plus, l'enseignant sûr de lui fait face à une réalité : c'est lui qui contrôle le climat qui règne dans la classe. C'est son approche envers les élèves et envers l'enseignement qui détermine ce que l'on retient de cette journée : le respect, l'humiliation, le plaisir, la corvée, l'avenir ou la défaite. Il reconnaît qu'il commettra parfois des erreurs, mais il sait aussi qu'il a la capacité et la responsabilité d'éviter que la même erreur se répète une seconde fois.

Bob Strachota (1996) explique bien ce que cela signifie pour un enseignant d'admettre ne pas posséder toutes les réponses, mais de savoir qu'il a les capacités voulues pour les trouver.

> *Ni ma vie à l'école, ni ma vie personnelle ne sont particulièrement merveilleuses. Mon automobile tombe en panne, je me querelle avec mes amis, je tombe malade et je m'inquiète au sujet de mes enfants. Pour éviter qu'ils n'affectent mon travail, je dois surveiller mes besoins, mes humeurs, mes préjugés, mes faiblesses et mes limites. Si je peux rester à l'écoute de mes émotions et de la manière dont elles affectent ma classe, je peux mieux les maîtriser quand elles nuisent au climat de la classe, pour ensuite être plus joyeux, à la hauteur de la situation et plus attentif à mon rôle de leader (traduction libre, p. 75).*

L'objectif premier de Strachota est de développer la capacité de ses élèves à contrôler leurs propres vies et leurs propres apprentissages. Il est aussi conscient que cet objectif le place au sommet du triangle.

Les élèves d'une classe saine

Mary Ann Smith compte parmi mes mentors, mais elle a déménagé avant que je le lui dise. Elle enseignait à des élèves du primaire alors que j'enseignais à des pré-adolescents, mais l'âge des élèves n'est pas pertinent ici : le savoir de Mary Ann est essentiel, peu importe que les élèves aient 5 ou 55 ans.

Chaque année, le directeur lui confiait de nombreux élèves mésadaptés. Ces élèves se retrouvaient souvent dans ma classe cinq ou six ans plus tard. En écoutant leurs parents, je me rendais compte que la seule année où ces élèves s'étaient sentis heureux à l'école était l'année où ils étaient dans la classe de madame Smith.

Mère de quatre garçons, Mary Ann organisait simplement sa classe de la même manière que sa maisonnée. Ses connaissances au sujet des enfants étaient transférables d'un milieu de vie à l'autre. Voici quelques-unes de ses réflexions :

- Chaque enfant est semblable aux autres, mais il est aussi différent des autres.
- Chaque enfant a besoin d'être inconditionnellement accepté comme être humain.
- Les enfants ont besoin de croire qu'ils peuvent devenir meilleurs que ce qu'ils sont.
- Les enfants ont besoin d'aide pour réaliser leurs rêves.
- Les enfants doivent comprendre les choses à leur façon.
- Les enfants comprennent les choses de manière plus efficace et plus cohérente quand les adultes collaborent avec eux.
- Les enfants ont besoin d'action, de joie et de paix.
- Les enfants ont besoin de maîtriser leurs vies et leurs apprentissages.
- Les enfants ont besoin d'être épaulés pour développer ce pouvoir et l'utiliser intelligemment.
- Les enfants ont besoin d'être sécurisés.

L'objectif que visait Mary Ann pour ses fils était de les rendre confiants, heureux et autonomes. Elle adorait chacun de ses garçons pour leurs similitudes comme pour leurs différences. Elle n'hésitait pas à souligner ce que chacun réussissait le mieux. Elle passait beaucoup de temps avec eux, même s'ils ne pratiquaient pas tous les mêmes activités. Elle leur offrait des défis personnels adaptés à chacun. Elle veillait à leur progrès, les guidait et les encadrait pour répondre à leurs besoins particuliers et les aider à résoudre leurs problèmes, mais elle ne leur prodiguait pas tous les mêmes conseils.

Elle abordait ses élèves comme elle le faisait avec ses propres enfants. Il était entendu que les élèves étaient différents. Mary Ann trouvait du temps à consacrer à chacun, chaque jour. Elle fournissait à chaque élève des possibilités de progresser et le guidait selon ses besoins. Elle consacrait beaucoup d'attention à chaque individu, mais la forme et le contenu variaient. De même, les défis qu'elle proposait et l'aide qu'elle offrait variaient selon la nature du « rêveur » et de ses rêves.

Elle misait sur les forces de chacun et sur les moyens de les accroître. Charlie avait besoin de matériel artistique différent de celui des autres. Eli avait besoin de davantage de livres. Sonja avait besoin de la présence rassurante de l'enseignante pour maîtriser son caractère. Michelle avait besoin que l'enseignante lui rappelle de lâcher prise plus souvent.

Tous ces enfants étaient des rêveurs. Mary Ann et ses élèves discutaient de la manière dont ils progressaient. Ils s'entretenaient aussi de la fierté qu'elle ressentait envers chacun d'eux pour sa progression vers la réalisation d'un rêve. Elle appréciait le fait que Micah lise plus que les autres, que Philip s'exprime et se promène dans la classe plus souvent, que Chauncie pose des questions inhabituelles, que Bess travaille d'abord avec des blocs avant de le faire avec des chiffres et que Jorge pose d'abord ses questions en espagnol.

Mary Ann avait un grand cœur. Elle proposait de nombreux défis et offrait un grand soutien autour d'elle. Elle accordait de l'importance aux normes, mais peu à la normalisation. Ces élèves de huit ans comprenaient très bien tout cela. Ils n'étaient pas des élèves normalisés. Sachant cela, ils s'aimaient davantage eux-mêmes et s'aimaient les uns les autres.

Les contenus abordés dans une classe saine

Une enseignante m'a un jour raconté comment elle a pris conscience de ce qu'elle devait enseigner dans sa classe de sciences, et comment elle devait l'enseigner. Elle s'était toujours battue avec des guides pédagogiques trop longs, avec des textes trop denses ou trop simples et avec des exercices de laboratoire qui n'étaient ni éclairants ni amusants. Elle voyait trop souvent ses élèves perdre leur concentration et elle se sentait accablée par des mandats qui lui semblaient immuables.

Un collègue lui a dit : « Oublie les livres et les manuels un instant. Rappelle-toi ce qui rendait la science magique et ce que tu ressentais quand tu "faisais" des sciences. Suppose que les élèves auxquels tu enseignes n'auront que cette unique occasion de s'initier aux sciences. C'est la seule classe de sciences à laquelle ils participeront. Que dois-tu leur enseigner pour qu'ils aiment les sciences ? Réfléchis à tout cela une minute. Ensuite, modifie une partie des choses que je t'ai demandé d'effectuer. Suppose que tu n'enseignes qu'à trois enfants : tes propres enfants. Et imagine qu'il ne te reste que cette année à vivre. Que leur communiquerais-tu au sujet des sciences pendant cette année ? »

L'enseignante m'a dit : « Je comprends maintenant ce que j'ai à faire. Je ne sais pas toujours comment faire ce que j'ai à accomplir, mais le fait de savoir ce que je dois faire a changé ma façon de voir l'enseignement. »

Judy Larrick enseignait à un groupe d'étudiants désabusés de l'école secondaire. Son cours était à l'horaire en fin de journée. Le programme d'études exigeait qu'elle aborde les classiques de la littérature, mais les étudiants trouvaient la matière inaccessible et inintelligible. Les étudiants assistaient de moins en moins aux cours et Judy était déprimée par l'état de léthargie qui s'installait. Elle s'est battue toute l'année pour susciter l'enthousiasme des élèves et pour leur insuffler de l'énergie. L'année s'est terminée aussi tristement. Judy n'a cependant pas blâmé ses étudiants pour autant et elle ne s'est pas plainte à l'approche de la rentrée scolaire. Elle cherchait des solutions.

En septembre, elle se trouvait dans la même situation… Toutefois, lors du premier cours, elle a demandé aux élèves : « Quelqu'un ici a-t-il déjà été une victime ? Qu'est-ce que cela signifie ? Qu'est-ce qu'on ressent ? Une victime peut-elle maîtriser quoi que ce soit dans la vie ? Quoi ? Quand ? » Une classe remplie de « victimes » a commencé une discussion animée. Avec leur enseignante, ils ont développé un réseau conceptuel de « victime ». Finalement, Judy a proposé : « Aimeriez-vous lire un livre au sujet d'une personne ayant été une victime ? On pourrait vérifier si les choses se passent comme vous le dites. » Les élèves ont lu *Antigone* comme s'ils découvraient l'ultime vérité. L'assistance à son cours s'est maintenue pendant toute l'année.

Judy Schlimm, une enseignante de septième année, a vécu une expérience semblable qu'elle décrit ainsi : « Mon objectif, comme enseignante d'histoire, est de faire comprendre à mes élèves que l'histoire n'est pas l'étude de personnages décédés. Il faut que les élèves prennent conscience que l'histoire, c'est comme un miroir créé par le passé et dans lequel ils se voient. »

Ces trois enseignants comprennent l'utilité de l'apprentissage. Ce n'est pas une entreprise qui se résume principalement à accumuler des données au hasard. C'est quelque chose de beaucoup plus puissant. Dès la naissance, nous tentons de contrôler notre environnement. Jusqu'à notre mort, nous essayons de découvrir qui nous sommes et quel est le sens de la vie, comment interpréter nos émotions ou encore comment interagir avec les autres. Les divers domaines d'études — l'art, la musique, la littérature, les mathématiques, l'histoire, les sciences ou la philosophie — sont autant de lunettes différentes qui nous permettent de poser un regard neuf sur la vie afin de répondre à des questions fondamentales. Les habiletés relatives à ces domaines — la lecture, l'écriture, la cartographie, le calcul ou l'illustration — nous donnent la possibilité d'utiliser ces connaissances de manière significative (Phenix, 1986). Se questionner sur ce qu'on ne connaît pas encore et s'efforcer de trouver des réponses est plus formateur que de répéter des notions apprises par cœur telles que des noms isolés, des dates, des faits et des définitions.

Dans une classe saine, le contenu est imprégné de ces réalités. Donc, dans une classe saine, ce qui est enseigné, tout comme ce qui est appris :

- touche les élèves, leur semble pertinent, familier et lié au monde qu'ils connaissent ;
- aide les élèves à mieux se comprendre, à vivre leur vie plus intensément et à poursuivre leur évolution ;
- est authentique, et permet de faire de la « vraie » histoire, de « vraies » mathématiques ou de l'art véritable et non pas seulement des exercices dans ces domaines ;
- peut servir dans l'immédiat et s'applique aux choses qui concernent directement l'élève ;
- contribue à rendre les élèves plus « grands » aujourd'hui et dans l'avenir.

Dans une classe saine, l'enseignement incite les jeunes à raisonner en tant que membres de la famille humaine et non pas à participer à une épreuve unique ou à répondre à une ronde de questions insignifiantes. Comme le dit le renommé scientifique Lewis Thomas (1983) : « Au lieu de concevoir les connaissances humaines comme une énorme masse d'informations cohérentes qui nous permettrait, si nous pouvions en maîtriser tous les détails, de tout expliquer sur tous les sujets, nous devrions comprendre que nos connaissances ne sont, en fait, qu'une modeste somme de questions qui ne s'emboîtent pas les unes dans les autres » (traduction libre, p. 163). Quand le sujet est dynamique, stimulant et d'intérêt personnel, quand il confère du pouvoir à l'apprenant, les « détails » deviennent importants et mémorables.

Créer un environnement favorable à une classe saine

Supposons qu'une enseignante est à l'aise avec son rôle de leader et avec son rôle d'apprenante. Elle comprend les besoins fondamentaux de ses élèves et y répond ; elle comprend ce que sa matière représente réellement pour eux. Que doit-elle faire pour créer un environnement dans lequel elle-même et ses élèves grandiront en étant attentifs aux autres et en se respectant les uns les autres ? Comment doit-elle créer un environnement où la matière est un catalyseur du progrès et de l'amélioration de l'individu et du groupe ? Que doit faire l'enseignante pour que le triangle de l'apprentissage soit dynamique et équilibré, pour créer une véritable communauté d'apprentissage ?

Enseigner est une entreprise qui consiste à utiliser une approche heuristique et non pas algorithmique. Des principes d'enseignement nous guident, mais ce ne sont pas des recettes. Voici quelques caractéristiques de l'enseignement et de l'apprentissage dans une classe saine. Cette liste n'est pas exhaustive: elle propose un point de départ pour guider votre réflexion. N'hésitez pas à compléter cette liste, à la réviser, à y ajouter des éléments ou à en retrancher selon vos propres expériences.

- **L'enseignant accepte le caractère unique de chaque enfant** Dans *Le petit prince* de Saint-Exupéry (1943), un jeune voyageur rencontre un renard qui lui demande de l'apprivoiser. Alors que l'enfant se montre perplexe quant au désir du renard, celui-ci explique: « On ne comprend que les choses que l'on a apprivoisées » (p. 83). Et il explique qu'apprivoiser requiert beaucoup de temps. « Tu dois être très patient... Tu dois d'abord t'asseoir loin de moi... Je dois te regarder du coin de l'œil et tu ne dois rien dire. Les mots sont une source d'incompréhension. Mais tu t'assoiras un peu plus près de moi chaque jour » (p. 84). Le petit garçon finit par comprendre « qu'apprivoiser » nous permet de connaître l'individualité de celui qu'on apprivoise. « On ne voit bien qu'avec le cœur, l'essentiel est invisible pour les yeux. »

  Les enseignants d'une classe saine apprivoisent constamment leurs élèves afin de reconnaître qui ils sont, et de découvrir leur caractère unique. Il n'existe pas un enfant qui ne soit pas attirant. Il n'existe pas d'enfant qui n'ait besoin d'aucune intervention de l'enseignant. L'enseignant apprivoise tous les nouveaux élèves. Les enseignants prennent aussi le risque de se faire connaître des élèves et d'être eux-mêmes apprivoisés.

- **L'enseignant sait qu'il accueille des individus complexes** L'enseignant comprend que les besoins intellectuels, émotifs et physiques des enfants varient avec le temps. Il comprend que son rôle consiste à enseigner aux enfants à manier les mathématiques ou l'écriture et non pas à enseigner les mathématiques ou l'écriture à des élèves. Il sait que, parfois, une leçon peut susciter des émotions ou encore en apaiser. Il comprend que l'enfant qui ne s'estime pas apprendra peu. Il sait aussi qu'une réussite véritable produira quelque chose qui décuplera l'estime de soi: le sentiment de compétence. Il sait que ce que l'enfant vit à l'extérieur de l'école n'est pas un bagage qu'on peut laisser à la porte en entrant en classe. De même, un apprentissage réussi ne se limite pas aux murs de l'école et doit être transférable dans les autres sphères de la vie de l'enfant.

- **L'enseignant stimule la construction des savoirs** Il ne s'agit pas de connaître pour être compétent. Une véritable expertise permet d'appliquer les habiletés. Une historienne ne se limite pas à répondre à des questions à la fin d'un chapitre; elle vise plutôt de nouveaux niveaux de compréhension des lieux, des gens et des événements. Un romancier n'aligne pas seulement des mots pour appliquer des règles de grammaire; il désire partager une vision du monde ou encore susciter des émotions.

Les experts déploient leurs connaissances, habiletés et compétences à des niveaux élevés et exigeants. Un collègue m'a fait remarquer récemment que les enseignants étaient formés pour enseigner les sciences et non pour devenir des scientifiques, qu'ils étaient formés pour enseigner à parler en public et non pas pour être de bons orateurs.

- **L'enseignant crée des liens entre le vécu des élèves et la matière abordée** Le poète, romancier et écrivain-historien Paul Fleischman (Robb, 1997) est l'auteur de l'ouvrage *Dateline Troy*, qui illustre les événements de *L'Iliade* avec des titres tirés de journaux contemporains. Voici comment il souhaite que les enseignants s'inspirent de son livre. Ses commentaires devraient susciter d'importantes réflexions chez tous les enseignants.

  J'espère vraiment que les enseignants continueront d'être inspirés et continueront à faire ce que les meilleurs enseignants ont toujours fait: rendre la matière concrète et pertinente pour les élèves, la rapprocher de leur vécu... Je crois que créer des liens entre la matière et l'expérience des élèves permettra à ces derniers de bien interpréter l'information plutôt que de devenir des « spécialistes » de l'examen et des « perroquets ». Cela s'applique à tous les sujets du programme d'études. Pourquoi croyez-vous que j'ai obtenu un D en trigonométrie? Je n'étais pas convaincu que la connaissance des sinus et des tangentes avait de l'intérêt ou qu'elle était d'une quelconque utilité pour moi. Je suis pourtant certain qu'un bon enseignant aurait pu me convaincre du contraire (traduction libre, p. 41).

- **L'enseignant vise à instaurer un milieu d'apprentissage enthousiaste** Dans une classe saine, l'enseignant considère bien sûr l'enseignement comme une chose sérieuse. Apprendre est un droit que chaque individu possède dès la naissance. Peu de choses se révèlent aussi importantes dans la vie. De plus, l'enseignant sait que les enfants ont peu de temps pour apprendre et explorer. Il porte donc toute son attention sur ce qui importe le plus concernant sa discipline et fait en sorte que l'essentiel soit au cœur des expériences de l'élève.

  Par ailleurs, il sait que les enfants sont fondamentalement joyeux et attirés par le jeu. Ils sont jeunes, énergiques et actifs. Bouger, toucher, rire et raconter des histoires constituent d'excellents moyens pour acquérir des habiletés et des compétences. Donc, l'enseignant cherche à s'assurer autant de l'engagement que de la compréhension de chaque apprenant, et ce, à chaque cours.

  Récemment, un enseignant d'un programme d'été pour élèves avancés a laissé une note sur la porte de mon bureau. Elle disait: « J'ai opté pour la rigueur et j'ai reçu la rigidité cadavérique... » Même des apprenants avancés ont besoin de travailler dans la joie et de relever des défis: ils l'ont fait comprendre à cet enseignant.

- **L'enseignant cible des attentes élevées** Dans une classe saine, l'enseignant aide les élèves à entretenir de grands rêves. Il comprend que tous les rêves ne sont pas semblables, mais que chaque élève a besoin de nourrir de grands rêves et qu'il doit être épaulé pour trouver des moyens concrets de les réaliser.

  L'enseignant vise la réussite de chacun. Cela signifie qu'il connaît clairement le niveau de rendement de l'élève et le niveau où il désire l'amener ainsi que les moyens de soutien permettant d'y arriver. Il peut prévoir des échéanciers, des grilles d'évaluation, des tâches bien définies, des aménagements de classe variés, des ressources multiples, la collaboration de spécialistes, des périodes de révision ou de renforcement en petits groupes, etc.

  Avant qu'un enseignant les guide, la plupart des jeunes apprenants ne savent pas comment s'améliorer. Dans une classe saine, l'enseignant joue le rôle d'un entraîneur de champions. Son plan de match permet à chaque élève d'atteindre la victoire. Ensuite, il reste sur la ligne de touche, encourage les élèves, donne des conseils pendant la « partie ».

- **L'enseignant aide les élèves à interpréter eux-mêmes les idées** Il est rare que la répétition crée à elle seule la compréhension. Répéter une information en faisant une récitation, une fiche de travail ou un test permet rarement à l'apprenant de retenir vraiment une idée ou une information et de l'utiliser efficacement. De nombreux enseignants en ont fait l'expérience lors de leur propre formation : des notions apprises hors contexte ont pu leur paraître inutiles et ont rapidement été oubliées, alors qu'elles auraient été fort utiles une fois qu'ils ont été rendus devant leurs élèves.

  Dans une classe saine, on réfléchit, on se pose des questions et on fait des découvertes. Bob Strachota (1996), enseignant au primaire, affirme :

  > *Notre connaissance est sans signification à moins que nous n'ayons affronté les complexités de l'adversité et de l'invention. Si cela est vrai, je ne peux pas transmettre mes connaissances et mon expérience aux enfants auxquels j'enseigne. Je dois plutôt trouver des moyens pour aider les enfants à assumer la responsabilité de comprendre le monde et de trouver des moyens d'y vivre. Pour réussir cela, je dois me battre contre ce que j'ai appris au cours de mes formations et contre mes instincts qui m'amènent à être directif, à dire aux enfants ce que je sais et à leur dire ce qu'ils doivent faire (traduction libre, p. 5).*

- **L'enseignant partage la tâche d'enseignement avec les élèves** Dans une classe saine, l'enseignant invite continuellement les élèves à prendre part activement à l'enseignement. Il le fait de nombreuses façons. Il permet d'abord à un élève d'enseigner à un de ses pairs. Il croit que chaque élève est un bon enseignant pour certains sujets et qu'à certains moments, il a besoin qu'on lui enseigne. Ensuite, il discute avec les élèves des règles, de l'horaire et des procédures de la classe. De plus, il pratique un « enseignement métacognitif». Cela signifie qu'il aborde avec les élèves des sujets tels la planification de l'enseignement, les questions relatives à la classe qu'il se pose quand il rentre chez lui ou sa manière de consigner les progrès. Cet enseignant connaît son rôle de leader et il sait aussi que les élèves ont beaucoup de connaissances tacites, qu'ils connaissent bien ce qui fonctionne dans leur monde et ont de bonnes perceptions d'eux-mêmes et de leurs pairs.

- **L'enseignant vise l'autonomie des élèves** Au théâtre, un metteur en scène a un travail très important. Pendant plusieurs semaines, il dirige tous les mouvements des comédiens et du personnel de soutien. Peu de choses se produisent sans son accord. Cependant, lorsque la pièce est présentée devant le public, le metteur en scène est pratiquement inutile. Si l'équipe de distribution a encore besoin de son expertise, c'est que le metteur en scène n'a pas fait du bon travail.

  L'enseignement est, ou du moins devrait être, semblable à cet exemple. Plus l'année scolaire avance, moins l'enseignant devrait être indispensable à la vie de ses élèves.

  Cet enseignant ne propose pas de solution aux élèves quand ceux-ci peuvent la trouver eux-mêmes. Il donne des indications et des lignes directrices afin que les élèves fassent du travail de qualité. Cependant, il laisse de la place à l'ambiguïté, aux choix et à la flexibilité afin que les élèves forgent leur bon sens et utilisent les connaissances qu'ils ont déjà acquises. Il mesure bien les responsabilités que chaque enfant peut assumer, les lui confie et le guide pour qu'il en assume d'autres.

  Parce qu'il y a souvent trop d'enfants dans les classes, les enseignants préfèrent généralement agir pour les élèves plutôt que de laisser ceux-ci porter des jugements personnels. Les enseignants me disent souvent qu'ils trouvent que leurs élèves, autant au primaire qu'au secondaire, ne sont pas assez matures pour accomplir du travail de façon autonome. Cela me laisse songeuse : dites-moi, dans quelle classe la majorité des enfants travaillent-ils de manière très autonome pendant de longues périodes ? Ce sont les enfants de cinq ans de la maternelle !

- **L'enseignant sème l'énergie positive et l'humour** Dans une classe saine, vous entendez continuellement parler de l'importance de ce que l'on entreprend. Il existe toujours un sentiment d'urgence devant ce que l'on doit apprendre, non parce que l'on est pressé, mais parce que l'on comprend que le temps et le sujet sont importants et doivent être traités avec soin. La planification est faite avec autant de soin que pour un voyage qui promet d'être magnifique. L'enseignant et les élèves anticipent un beau voyage tout en prévoyant leurs destinations, en choisissant des routes à suivre et en s'adaptant aux imprévus.

On s'attend aussi à ce que tous et chacun se considèrent avec respect et gentillesse. Vous entendez rire dans une classe saine. L'humour et la créativité sont proches parents. L'humour naît de liens inattendus et amusants, de la spontanéité, et de la croyance que l'on apprend de ses erreurs. L'humour n'est jamais sarcastique ou incisif. C'est la sorte de gaieté qui vient de la capacité de rire les uns avec les autres.

- **L'enseignant use d'une discipline discrète** L'enseignant doit rappeler aux élèves comment travailler et comment agir en classe. C'est nécessaire pour le développement émotif et social des élèves. Dans des classes saines, toutefois, les problèmes de discipline sont rarement très préoccupants. Les élèves sont acceptés et valorisés, et ils le savent. Ils sont conscients que non seulement l'enseignant attend beaucoup d'eux, mais qu'il est leur partenaire dans l'atteinte de ces objectifs. On leur offre des occasions d'apprendre et de travailler de façon à ce qu'ils se sentent plus à l'aise en tant qu'individus. Des lignes directrices aident les élèves à prendre de bonnes décisions. Un effort véritable se transformera fort probablement en un véritable succès.

  Dans un tel environnement, plusieurs des tensions qui amènent l'indiscipline sont éliminées ou, au moins, minimisées. Quand il faut régler un problème sérieux ou récurrent, le respect des élèves, le désir d'épanouissement et le partage des prises de décisions ne provoquent pas de conflits entre adversaires, mais entraînent une bonne compréhension et un bon apprentissage.

L'enseignement n'est pas différent de la vie

Un été, quand j'étais enfant, j'ai trouvé une portée de chatons dans un petit coin, derrière un vieux garage. J'étais très impatiente que ma meilleure amie arrive chez moi pour que je puisse partager cette magnifique découverte. En allant lui montrer les chatons, je lui disais qu'elle serait très impressionnée. Mon exubérance et son anticipation nous faisaient sauter et danser. Quand nous sommes arrivées, j'ai reculé pour la laisser approcher. J'ai pointé du doigt l'endroit de ma découverte et lui ai dit: « C'est à ton tour, regarde! »

La vie dans une classe saine se déroule de façon similaire à cette anecdote. Un enseignant recherche constamment de merveilleuses trouvailles à partager avec les élèves. Quelquefois, il invite un élève, un petit groupe ou toute la classe à partager son aventure. Chaque élève se sent privilégié par l'invitation, qui semble dire : « Tu es si important qu'il faut que je te dévoile les trésors que j'ai découverts ! »

Tous ont hâte de se joindre à cette aventure. L'enthousiasme est palpable. Puis, le moment arrive où l'enseignant s'arrête et dit aux élèves : « J'ai déjà été là. C'est à votre tour. Pensez-y à votre façon et voyez ce que vos yeux vous font voir. Vous saurez quoi faire. » L'enseignant regarde ensuite les élèves apprendre et, ce faisant, il redevient lui-même un apprenant.

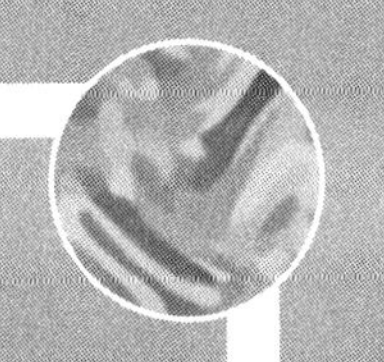

CHAPITRE 5

Un enseignement efficace à la base de la différenciation des apprentissages

Une jeune enseignante essaie de planifier une situation d'apprentissage différenciée et elle me demande : « Pouvez-vous y jeter un coup d'œil et me dire si je suis sur la bonne voie ? »

Ses élèves de quatrième année lisaient tous le même roman. Elle avait choisi cinq tâches qu'elle souhaitait assigner à ces derniers en se basant sur ce qu'elle percevait comme étant leur niveau de rendement. Les tâches étaient :

- Créer une nouvelle jaquette pour le livre.
- Construire un décor pour une des scènes du livre.
- Dessiner un des personnages.
- Écrire une nouvelle fin au roman.
- Écrire une conversation entre un des personnages de ce livre et un des personnages d'un autre roman lu précédemment.

Après avoir pris connaissance de ces tâches, j'ai posé la question qu'on aurait dû me poser quotidiennement pendant mes dix premières années d'enseignement : « Une fois ces activités terminées, quel résultat voulez-vous obtenir de chaque élève ? » Elle m'a jeté un coup d'œil et elle m'a répondu : « Je ne comprends pas le sens de votre question. »

Alors, j'ai reformulé ainsi : « Que souhaitez-vous que les élèves perçoivent ou comprennent, une fois que la tâche que vous leur avez assignée sera terminée ? »

Elle a secoué la tête en disant : « Je ne comprends toujours pas. »

« D'accord, essayons encore... Voulez-vous que les enfants comprennent que l'auteur a inventé un personnage ? Voulez-vous qu'ils comprennent pourquoi l'auteur a consacré du temps à l'écriture de ce livre ? Voulez-vous qu'ils réfléchissent aux similitudes entre la vie du personnage et la leur ? Qu'est-ce que les activités devraient faire comprendre aux élèves ? »

Elle a pâli et elle a agité la main comme si elle chassait un moustique : « Moi qui croyais que tout ce qu'ils avaient à faire était de lire l'histoire et d'en faire quelque chose ! »

Des cours « vagues »

Nombre d'entre nous sont cette novice. Nous avons embrassé cette profession en ayant une vague idée que les élèves devraient lire, écouter ou regarder quelque chose. Ensuite, ils devraient faire une « activité quelconque » basée sur ce qu'ils ont vu ou entendu. Voici quelques exemples :

- Une enseignante de première année lit une histoire à ses élèves. Elle leur demande ensuite de faire un dessin qui représente ce qu'ils ont entendu.

Mais qu'est-ce que le dessin doit illustrer? le début ou la fin dc l'histoire? l'attitude du personnage principal quand l'étranger lui a fait peur? le gros arbre dans la cour de la grange?

- Une enseignante de cinquième année parle à ses élèves des trous noirs. Elle leur montre ensuite une vidéo sur le sujet. Elle leur demande d'écrire une histoire portant sur les trous noirs. Pour apprendre quoi? l'action de la gravité dans les trous noirs? pour parler de questions de temps? pour qu'ils démontrent ce qu'ils comprennent concernant l'évolution des trous noirs?
- Une enseignante de troisième année étudie la Ruée vers l'Ouest avec ses élèves. Ensuite, les élèves construisent des chariots couverts. Comment cela contribue-t-il à leur compréhension de ce que sont l'exploration, le risque, le manque de ressources ou l'adaptation? Est-ce que le but de cette activité est d'élargir les horizons ou de savoir travailler avec de la colle et des ciseaux?

Dans chacun de ces trois exemples, les trois enseignantes avaient une vague idée de ce que les enfants devaient retenir de leur expérimentation d'un contenu. Les élèves ont fait «quelque chose au sujet de l'histoire»; «quelque chose au sujet des trous noirs»; «quelque chose au sujet de la Ruée vers l'Ouest». Les activités n'étaient pas totalement inutiles ou ennuyeuses. Pourtant, j'ai relevé au moins deux problèmes:

- une limite à la qualité de l'enseignement et de l'apprentissage;
- une barrière à un enseignement différencié puissant.

Quand un enseignant ne cible pas clairement les objectifs d'apprentissage d'une leçon, il est fort probable que la tâche demandée, qu'elle soit captivante ou non, ne permette pas à l'élève de comprendre des idées ou des principes essentiels. Des objectifs imprécis engendrent des activités vagues. C'est un frein à l'enseignement et à l'apprentissage de haute qualité.

Et l'enseignement différencié n'échappe pas à cette règle. Dans de nombreux cours différenciés, les élèves doivent comprendre les mêmes savoirs essentiels en utilisant les mêmes habiletés-clés. Mais la préparation différente de chacun des élèves, leurs intérêts variés et leur profil personnel d'apprentissage les poussent à aborder la matière de façon différente. Si l'enseignant n'est pas clair dans l'énoncé de la tâche et du résultat attendu, il lui manque l'essentiel pour structurer et donner convenablement une leçon efficace. C'était le problème auquel se heurtait l'enseignante de la section précédente avec ses cinq activités «différenciées». Elle n'avait mis sur pied que cinq «choses qui gravitent autour du roman». Le résultat de telles activités serait cinq connaissances plutôt vagues de l'idée du roman, voire aucune connaissance.

Créer une activité ou une tâche demande du temps. En créer deux ou trois — et à plus forte raison cinq ! — demande encore plus de travail. Il est évident que vous devez bien comprendre ce qu'est une leçon efficace avant d'en faire plusieurs versions. Ce chapitre contribuera à dissiper les questionnements entourant la différenciation des apprentissages et vous préparera aux nombreux exemples d'enseignement différencié que vous trouverez dans les chapitres suivants. Son objectif est de vous permettre d'acquérir les données de base de l'enseignement différencié.

Deux éléments essentiels d'un apprentissage durable

J'ai toujours été étonnée de la juste perception des élèves concernant ce qui se passe en classe. J'ai entendu de jeunes adolescents me donner un diagnostic précis : « Son cours est très amusant. Nous n'apprenons pas beaucoup, mais nous nous amusons. » Les élèves comprennent aussi la situation opposée : « Nous sommes censés apprendre les mathématiques, mais cette heure de classe semble toujours très longue. »

Ces élèves verbalisent une compréhension implicite de deux éléments nécessaires pour rendre une classe intéressante : l'engagement et la compréhension. Les élèves sont engagés dans leurs apprentissages quand le cours stimule leur imagination, enflamme leurs opinions, attise leur curiosité et exploite les capacités de leur cerveau. L'engagement est l'aimant qui attire leur attention, si facile à perdre, et la soutient afin de favoriser le processus d'apprentissage.

Comprendre signifie beaucoup plus que *se rappeler*. Cela signifie qu'un élève a examiné toutes les facettes d'une idée importante avant de l'ajouter à son bagage de connaissances. L'apprenant a alors assimilé l'idée et il pourrait la réinvestir dans un contexte différent.

Un élève qui comprend une notion peut[1] :

- l'expliquer clairement, en donnant des exemples ;
- l'utiliser ;
- la comparer et l'opposer à d'autres concepts ;
- établir un lien entre cette notion et d'autres aspects du sujet à l'étude, d'autres thématiques des expériences personnelles ;
- la transférer dans d'autres contextes ;
- s'appuyer sur ce savoir pour comprendre un concept présenté dans une question inédite ;

1. Cette liste est adaptée de Barell, 1995.

- jumeler convenablement cette notion à d'autres connaissances;
- poser de nouveaux problèmes qui portent sur elle ou qui l'illustrent;
- créer des analogies, des modèles, des métaphores, des symboles ou des images à partir d'elle;
- se demander « qu'arriverait-il si? » lorsque les variables sont modifiées et trouver des réponses;
- générer de nouvelles questions et hypothèses qui mènent à de nouvelles recherches et stimulent l'apprentissage;
- généraliser;
- utiliser ses connaissances pour bien évaluer ses résultats ou ceux d'autres personnes.

S'ils ne se sentent pas engagés dans le cours, les élèves sont distraits. Ils ont besoin de créer des liens entre la matière à l'étude et leurs connaissances antérieures ou leur vécu. Un cours qui ne favorise pas l'engagement des élèves a peu d'incidence sur ces derniers: les apprenants feront un usage très limité des connaissances ainsi abordées.

Les niveaux d'apprentissage

Hilda Taba (dans Schiever, 1991) a compris bien avant les autres que l'apprentissage comporte plusieurs dimensions. Nous apprenons des *faits* ou des petites informations auxquels nous croyons. Nous développons des *concepts* ou des catégories de choses à partir d'éléments communs qui nous aident à structurer, à retenir et à utiliser l'information. Nous comprenons des *principes,* ces règles qui forment les concepts. Nous adoptons des *attitudes* ou divers niveaux d'engagement envers des idées ou des domaines d'apprentissage. Et, si nous sommes privilégiés, nous maîtrisons des *habiletés,* qui nous permettent d'utiliser judicieusement les connaissances acquises.

Un apprentissage complet et riche englobe tous ces niveaux. Ainsi, des faits qui ne s'appuient sur aucun concept et aucun principe pour faire jaillir un sens sont éphémères. Un sens, sans les habiletés nécessaires pour en faire des applications, perd son potentiel. Des attitudes positives engendrées par la magie de l'apprentissage demeurent stériles jusqu'au moment où l'on sait, où l'on comprend et où l'on passe véritablement à l'action dans notre environnement.

Joan Bauer, auteure du roman pour les jeunes adultes *Sticks* (Bauer, 1996), parle du besoin des enfants et des adolescents d'établir des relations entre ce qu'ils apprennent et leur vie courante. Ils ont besoin de comprendre que les principes scientifiques, mathématiques, historiques ou artistiques qu'on aborde en classe sont les mêmes qui s'appliquent à la salle de billard, à nos peurs ou au courage qui nous rend plus grands que nos cauchemars (discussion personnelle, 1997).

Dans le roman *Sticks,* Bauer fait preuve de professionnalisme en orchestrant tous les niveaux d'apprentissage. Elle raconte que Mickey, 10 ans, est tout excité parce qu'il veut gagner, dans sa catégorie, le concours de billard à neuf boules pour les 10 à 13 ans qui a lieu dans la salle de billard de sa grand-mère. Son père, qui était champion de billard, est mort quand Mickey était tout petit.

La passion pour les mathématiques de Arlen, l'ami de Mickey, est aussi grande que celle de Mickey pour le billard à neuf boules. Arlen ne mémorise pas les mathématiques ; il pense mathématiques. C'est un mode de vie pour lui. Il explique que, dans notre monde, les mathématiques ne vous laisseront pas tomber. Arlen sait ce qu'est un angle. Il sait qu'un vecteur est « une ligne qui va d'un endroit à un autre » (Bauer, 1996, p. 37). Ce sont des *faits* que Arlen a appris. Mais il comprend aussi les *concepts* d'énergie et de mouvement ainsi que les *principes* qui gouvernent les concepts. « Tout corps reste en attente ou suit un mouvement uniforme en ligne droite sauf si des forces extérieures agissent sur lui. En matière de billard, une boule ne bouge pas, sauf si quelque chose la frappe. Et quand elle se met à bouger, il faut que quelque chose l'arrête, comme une bande, une autre boule ou la friction du tapis de table » (Bauer, 1996, p.177).

Arlen comprend l'utilité des mathématiques ; son *attitude* à leur sujet lui fait prendre conscience du fait qu'elles sont une langue sans laquelle bien des choses sont inexplicables. Selon lui, l'univers est écrit dans le langage mathématique. Ce qui est important, ce n'est pas ce qu'il a appris ou même ce qu'il comprend. Ce qui est le plus important, ce sont ses *habiletés.* Arlen utilise un fil rose pour expliquer à Mickey comment se servir des bandes et de la géométrie des angles incidents et de réflexion. « Quand tu frappes la boule 8 à un certain angle sur la bande, elle rebondit dans le même angle » (Bauer, 1996, p.179). Arlen illustre des coups de billard afin que Mickey voie les lignes que les boules dessinent sur la table, mais Mickey y voit beaucoup plus.

Mickey réfléchit : « À l'école, je continue à voir la table : coups longs, coups courts, coups sur la bande, vecteurs. Je vois de la géométrie partout — terrain de baseball en forme de losange, oiseaux qui volent en formation en V. Je mange des raisins au dîner et je pense à des cercles. Je frappe les raisins sur mon plateau avec une paille. Bang ! Deux raisins dans le coin. Tout est relié » (Bauer, 1996, p.141).

Arlen connaissait des données. Mais, ce qui faisait sa force, ce n'est pas tellement ce qu'il savait (faits) que ce qu'il comprenait (concepts et principes), et comment il pouvait transformer ce qu'il comprenait en action (habiletés) dans un domaine bien éloigné d'un travail scolaire.

Toutes les disciplines sont basées sur des concepts et des principes essentiels. De par leur nature, toutes les matières requièrent des habiletés-clés que les professionnels mettent en pratique. Certains concepts sont génériques, recoupent plusieurs disciplines et créent des liens. Les modèles, le changement, l'interdépendance, la perspective, les parties ou le tout, et les systèmes sont des exemples de concepts génériques. Ces concepts s'appliquent bien à l'éducation physique, à la littérature, aux sciences et aux technologies et à presque tous les sujets d'étude. D'autres concepts sont plus spécifiques à un sujet: ils sont essentiels à une ou plusieurs disciplines, mais ne sont pas aussi importants pour d'autres. Voici des exemples de concepts spécifiques: les probabilités en mathématiques, la composition en art, la structure et la fonction en sciences et les sources primaires en histoire.

De la même manière, les habiletés peuvent être génériques ou spécifiques à une discipline. Écrire un paragraphe cohérent, placer des idées en ordre et poser des questions efficaces sont des habiletés génériques. Équilibrer une équation en mathématiques, transposer de la musique, utiliser des métaphores en littérature et dans des écrits, et faire la synthèse des sources en histoire sont des exemples d'habiletés spécifiques. Le tableau 5.1 illustre les niveaux-clés d'apprentissage dans plusieurs domaines.

En planifiant, l'enseignant devrait produire des listes de ce que les élèves devraient savoir (faits), comprendre (concepts et principes) et être capables de faire (habiletés) à la fin du module. L'enseignant devrait ensuite créer un noyau d'activités engageantes offrant diverses occasions d'apprendre les choses essentielles qu'il a déterminées. Ces activités devraient permettre à l'élève de comprendre ou de donner un sens aux concepts et aux principes-clés en utilisant des habiletés-clés. Plus loin dans ce manuel, vous trouverez des exemples de cours différenciés basés sur des concepts, des principes et des habiletés spécifiques et qui garantissent ce genre de clarté.

Comment envisager les normes?

Les enseignants subissent beaucoup de pression pour que les élèves atteignent des normes établies par la commision scolaire, l'État ou par des groupes professionnels. Les normes devraient être un outil qui permet de s'assurer que l'apprentissage de l'élève est plus cohérent, plus profond, plus vaste et plus durable. Malheureusement, quand les enseignants subissent des pressions pour atteindre des normes isolées, et quand les normes sont présentées sous forme de listes partielles et stériles, le véritable apprentissage est boiteux et n'est pas enrichi.

Chaque norme prescrite sur une liste est soit un fait, un concept, un principe, une attitude ou une habileté. C'est un bon exercice, pour les enseignants, pour les administrateurs et les spécialistes des programmes, d'étudier les listes de normes et d'indiquer le niveau d'apprentissage auquel elles correspondent.

Tableau 5.1 Exemples de niveaux d'apprentissage

Niveaux d'apprentissage	Sciences	Littérature	Histoire	Musique	Mathématiques	Art	Lecture
Faits	L'eau bout à 100 °C. Les humains sont des mammifères.	Katherine Paterson a écrit *Bridge to Terebithia.* Définition d'intrigue et de personnage.	Le Boston Tea Party a contribué à la Révolution américaine. Les 10 premiers amendements à la Constitution des États-Unis s'appellent maintenant la Déclaration des droits.	Strauss était le roi de la valse. Définition de «clé».	Définition d'un numérateur et d'un dénominateur. Définition des nombres premiers.	Monet est un impressionniste. Définition des couleurs primaires.	Définition d'une voyelle et d'une consonne.
Concepts	Interdépendance Classement	Voix Héros et antihéros	Révolution Pouvoir, autorité et gouvernement	Tempo Jazz	Partie et tout Le système des nombres	Perspective Espace négatif	Idée principale Contexte
Principes	Toutes les formes de vie font partie de la chaîne alimentcire. Les scientifiques classifient les animaux selon des genres.	Les auteurs inventent les personnages pour partager leurs propres opinions. Les héros sont issus du danger ou de l'incertitude.	Les révolutions sont d'abord des évolutions. La liberté subit des restrictions dans toutes les sociétés.	Le tempo d'une œuvre musicale aide à créer une atmosphère. Le jazz est à la fois structuré et improvisé.	Le tout est fait de parties. Les parties d'un système de nombres sont interdépendantes.	Les objets peuvent être vus et représentés selon différentes perspectives. L'espace négatif aide à mettre en valeur des éléments essentiels d'une composition.	Des paragraphes efficaces développent et soutiennent généralement une idée principale. Des illustrations et des phrases nous permettent de comprendre des mots que nous ne connaissons pas.
Attitudes	Notre écosystème profite de la conservation. Je fais partie d'un important réseau naturel.	C'est ennuyeux de lire de la poésie. Les histoires m'aident à me comprendre moi-même.	Il faut étudier l'Histoire afin de la poursuivre plus intelligemment. Quelquefois, je suis prêt à sacrifier un peu de ma liberté pour assurer le bien-être des autres.	La musique m'aide à exprimer mes émotions. Je n'aime pas le jazz.	Les mathématiques sont trop difficiles. Les mathématiques sont une manière d'aborder de nombreux sujets de mon univers.	Je préfère le réalisme à l'impressionnisme. L'art m'aide à voir le monde d'un meilleur œil.	Je suis un bon lecteur. Il est difficile de «lire entre les lignes».
Habiletés	Faire un plan pour l'utilisation efficace de l'énergie à l'école. Interpréter les données sur les coûts et les bénéfices du recyclage.	Utiliser des métaphores pour se comprendre soi-même. Établir des liens entre les héros et les antihéros de la littérature, ceux de l'Histoire et ceux de la vie quotidienne.	Bâtir et soutenir une opinion sur un sujet. Tirer des conclusions basées sur des analyses de sources fiables.	Choisir une œuvre musicale qui exprime une certaine émotion. Écrire une musique de jazz originale.	En musique, exprimer le tout et les parties; en Bourse, utiliser les fractions et les décimales. Montrer la relation entre les éléments.	Réagir à une peinture avec une conscience affective et cognitive. Représenter un objet de manière réaliste et impressionniste.	Trouver, dans des articles, l'idée principale et les détails à l'appui. Interpréter les thèmes des histoires.

Certaines séries de normes sont basées à la fois sur des concepts et des principes et elles intègrent les habiletés particulières à une discipline de manière à promouvoir la compréhension. C'est le cas de nombreuses normes développées par des groupes de professionnels nationaux. Dans d'autres cas, cependant, les normes sont essentiellement basées sur le niveau d'habiletés et comportent des références occasionnelles aux attitudes, et moins souvent, aux principes. Quand c'est le cas, les enseignants doivent pallier la situation pour s'assurer que les expériences d'apprentissage sont basées solidement sur les concepts et les principes et que les élèves utilisent les habiletés de manière significative pour obtenir ou pour mettre à exécution des idées significatives.

Cet argument m'a frappée récemment, quand j'ai entendu une enseignante raconter une anecdote à une collègue: «J'ai demandé à une enfant à quoi elle travaillait», raconte l'enseignante. «L'élève m'a répondu qu'elle écrivait des paragraphes. Je lui ai alors demandé à quel sujet. Elle m'a répété qu'elle et ses camarades écrivaient des paragraphes. J'ai souri puis j'ai ajouté: "Mais *pourquoi* écrivez-vous des paragraphes? Que voulez-vous communiquer?" Elle m'a répondu, irritée: "Oh, ça n'a pas d'importance. Nous ne faisons qu'écrire des paragraphes!"»

En d'autres termes, il est vain de croire qu'on puisse enseigner des habiletés sans idées cohérentes et signifiantes. En outre, l'enseignement mécanique et dépourvu de recherche de sens est contraire à la manière dont les êtres humains apprennent (comme nous l'avons souligné au chapitre 3).

Les niveaux d'apprentissage: étude détaillée d'un cas

J'ai déjà été témoin d'une situation où deux enseignantes de troisième année se hâtaient pour trouver comment elles pourraient «couvrir» un autre module de sciences avant que l'année ne se termine. Elles affirmaient avoir été trop lentes pour compléter le programme. Elles devaient donc traiter la thématique des nuages au cours des quelques jours de classe qui restaient.

Les deux enseignantes ont travaillé durement pour choisir, dans des livres de sciences, la documentation que leurs élèves devraient lire. Elles ont trouvé des histoires qui plaisent généralement aux élèves et qui portent sur les nuages; elles espéraient qu'ils auraient le temps de les lire. Les enseignantes se sont mises d'accord sur l'utilisation de fiches techniques que les élèves devaient remplir et elles ont choisi une activité artistique stimulante pour les élèves. Le sentiment d'urgence et la détermination qui guidaient ces deux femmes étaient quasi palpables. Au moment d'établir l'ordre dans lequel elles allaient utiliser le matériel, l'une des enseignantes a pris conscience qu'elle avait oublié le nom d'un nuage. La seconde a réalisé qu'elle se souvenait des noms, mais qu'elle ne pouvait pas les faire correspondre aux images. Les deux enseignantes avaient pourtant déjà « enseigné le module des nuages » plusieurs fois…

Cet exemple de « planification d'un module » est courant. Avec de bonnes intentions, les enseignants essaient d'exécuter ce que leur programme d'études spécifie. Dans ce cas, le sommaire spécifiait que les élèves devaient connaître et reconnaître les types de nuages. Quoique le programme d'études énonce comment ce sujet entre dans un cadre plus large de compréhension et d'habiletés, il n'était pas assez explicite pour les deux enseignantes qui, à leur tour, ne pouvaient rendre le sujet explicite pour leurs élèves. Donc, le « module » que les enseignantes avaient préparé était surtout basé sur des faits et ne comportait ni principes, ni concepts, ni habiletés. Il n'est pas étonnant que même si les enseignantes avaient déjà enseigné le module à plusieurs reprises, elles ne se souvenaient pas des faits, ce qui ne présage évidemment pas un apprentissage à long terme et de qualité chez les élèves!

Au contraire, une autre enseignante a construit toute son année d'enseignement des sciences autour de quatre concepts-clés : le changement, les modèles, les systèmes et les interrelations. Toute l'année, les élèves ont étudié une série de phénomènes scientifiques qui illustraient ces quatre concepts. À la fin de chaque expérience, l'enseignante expliquait les principes essentiels qu'elle souhaitait que tous les élèves comprennent au cours de leurs études. (Par exemple, les choses naturelles et les choses faites par l'homme qui changent avec le temps. Le changement d'une partie du système affecte d'autres parties du système. Nous pouvons utiliser des modèles pour faire des prédictions intelligentes.) Certaines généralisations étaient spécifiques à un cours en particulier. (Par exemple : l'eau peut changer de forme. Les organismes vivants font partie d'écosystèmes.)

L'enseignante a aussi fait une liste des habiletés que les étudiants devaient maîtriser au cours de l'année. Par exemple, ses élèves devaient employer des appareils de météorologie pour faire des prévisions basées sur des observations plutôt que sur des suppositions. Ils devaient aussi communiquer des données grâce à des photos et des rapports écrits. L'enseignante a déterminé les moments propices pour que les élèves mettent en pratique ces habiletés afin de comprendre les principes-clés. Les faits se trouvaient partout, alors que les élèves discutaient d'événements particuliers comme des scientifiques l'auraient fait.

À un moment précis de l'année, les élèves ont utilisé des appareils de météorologie (habiletés) pour discuter de modèles et d'interrelations dans les systèmes météorologiques (concepts). Ils ont étudié deux principes : un changement dans une partie du système affecte l'autre partie du système, et on peut utiliser des modèles pour faire des prédictions intelligentes. Puis ils ont prévu (habiletés) quels genres de nuages (faits) devaient se former en tenant compte des modèles et des interrelations qu'ils avaient étudiés. Ils ont illustré et écrit leurs prévisions à l'aide d'une terminologie appropriée. Ils ont ensuite observé ce qui s'est produit, vérifié la précision de leurs prévisions et communiqué leurs observations en utilisant des dessins révisés et des explications.

Ce type de planification des apprentissages crée une structure cohérente de compréhension qui évolue au cours de l'année. Les faits illustrent et cimentent les idées-clés, qui sont abordées à plusieurs reprises. L'objectif des habiletés est au cœur du sens et du bien fondé. L'apprentissage stimule l'engagement et la compréhension. Ces élèves comprendront mieux comment leur monde fonctionne et se sentiront plus compétents en tant qu'apprenants et scientifiques. Dans une année ou deux, ils se souviendront probablement des noms ainsi que de la nature des nuages — et leur enseignante aussi !

Les éléments du curriculum

Pour assurer un enseignement et un apprentissage efficaces, les enseignants doivent prêter attention à trois éléments-clés du programme : les contenus, les processus et les productions. (Les deux autres éléments du programme d'études sont l'environnement d'apprentissage et l'état affectif, que nous avons présentés au troisième chapitre. Ils doivent rester présents dans votre esprit quand vous pensez à votre enseignement, quand vous le planifiez, quand vous l'observez et quand vous l'évaluez.)

Le contenu du programme d'études constitue ce que l'élève doit connaître (faits), comprendre (concepts et principes) et être capable de réaliser (habiletés) après avoir étudié une section déterminée (une leçon, une expérience d'apprentissage, un module). Le contenu est une porte d'entrée sur la connaissance. Il comprend les moyens grâce auxquels les élèves seront en contact avec l'information (des manuels, des lectures supplémentaires, des vidéos, des excursions scolaires, des démonstrations, des conférences ou des programmes informatiques).

Le processus correspond à la possiblité qu'ont les élèves de donner un sens au contenu. Si nous ne faisons que dire des choses aux élèves et que nous leur demandons ensuite de nous les répéter, ils ne pourront sans doute pas les incorporer à leur structure d'apprentissage. L'information et les idées appartiendront à quelqu'un d'autre (l'enseignant, le rédacteur du manuel, le conférencier). Les élèves doivent traiter les idées pour qu'elles leur appartiennent. En classe, les processus prennent généralement la forme d'une activité. Une activité sera vraisemblablement efficace si elle :

- a un objectif d'enseignement bien précis ;
- est centrée sur un seul élément-clé ;
- amène les élèves à utiliser une habileté-clé pour travailler avec une idée-clé ;
- permet aux élèves de comprendre l'idée (et non pas seulement de la répéter) ;
- aide les élèves à faire le lien entre leurs connaissances antérieures et leurs nouvelles compréhensions et habiletés ;
- correspond au niveau de rendement de l'élève.

Une production est un véhicule de communication par lequel l'élève démontre (et approfondit) ce qu'il a compris et ce qu'il peut réaliser après une assez longue période d'apprentissage (comme un mois d'étude de la mythologie, un module sur les systèmes météorologiques, une longue période d'étude des gouvernements, un semestre d'espagnol ou une année de recherche sur des écosystèmes). Les exemples du présent ouvrage utilisent le terme « production » pour signifier la réalisation par laquelle les élèves exposent ce qu'ils ont appris après une importante période d'apprentissage. Le terme « production » ne correspond pas à un travail ponctuel qu'un élève réalise au cours d'une journée. Ces créations à court terme sont plutôt perçues comme les éléments concrets et visibles d'une activité.

Une production peut prendre la forme d'une conférence, d'une exposition, d'une résolution de problème complexe ou de la rédaction d'un rapport important à la suite d'une recherche autonome. Une production pourrait aussi être la création d'un test ou d'une exposition de photos commentées qui raconte une histoire.

Pour obtenir une production efficace, il faut :

- définir clairement ce que les élèves doivent démontrer, transférer ou appliquer pour exposer ce qu'ils ont compris et ce qu'ils peuvent faire après cette étude ;
- permettre un ou plusieurs modes d'expression ;
- définir des attentes claires et précises à l'égard d'un contenu de haute qualité (renseignements, idées, concepts, sources de recherches) ; des étapes et des comportements propres à rehausser la qualité de la production (planification, emploi efficace du temps, objectifs, originalité, vision, révision) ; et la nature de la production elle-même (dimension, public, construction, durabilité, format, échéance, précisions techniques) ;
- fournir un soutien pédagogique à l'élève pour assurer sa réussite optimale. (Par exemple, offrir la possibilité de faire un remue-méninges, fournir des grilles d'évaluation et établir des limites de temps ou encore mener des ateliers en classe sur l'utilisation des matériaux de recherche et permettre l'évaluation par les pairs ou la révision en petits groupes) ;

- accepter et valoriser les niveaux différents de rendement, d'intérêt et de profils d'apprentissage.

Relier les niveaux d'apprentissage au programme d'études

Quel que soit le module ou la section qu'il aborde avec ses élèves, l'enseignant est clair au sujet de tous les niveaux d'apprentissage. Il s'assure que le contenu, le processus et la production sont bâtis autour du matériel et des expériences, qui amènent les élèves à approfondir et à comprendre véritablement le sujet. Autrement dit, le contenu, le processus et la production sont centrés sur l'exploration et la maîtrise des concepts-clés, des principes essentiels, des habiletés pertinentes et des faits utiles (voir la figure 5.1 à la page suivante). L'exemple qui suit montre à quoi ce type de réflexion et de planification peut ressembler.

Madame Johnson et ses élèves du début du secondaire commencent une étude de la mythologie. Les concepts qu'elle et ses élèves exploreront pendant cette étude (et pendant toute l'année) sont le héros, la voix, la culture et l'identité. Ils aborderont, entre autres, les principes suivants :

- Les gens racontent des histoires pour clarifier leurs croyances, pour eux comme pour les autres ;
- Les histoires que nous racontons reflètent notre culture ;
- Comprendre le point de vue de quelqu'un sur le monde permet de clarifier notre propre point de vue ;
- La comparaison entre ce qui est familier et ce qui ne l'est pas nous permet de comprendre mieux les deux ;
- Celui qu'une personne ou une culture choisit comme héros révèle beaucoup de choses au sujet de cette personne ou de cette culture ;
- Les mythes reflètent les valeurs liées à la religion, la famille, la communauté, les sciences et le raisonnement.

Voici quelques habiletés sur lesquelles ils insisteront pendant cette étude d'un mois : écrire des paragraphes, écrire un dialogue, faire des comparaisons et des oppositions ; trouver et interpréter des similitudes et des métaphores. Comme elle le fait toujours, madame Johnson s'assure que les élèves utilisent le vocabulaire de la fiction pour parler des mythes : intrigue, décor, protagoniste, thème, ton. Elle s'assure aussi que les élèves étudient des personnages et des événements (faits) qui appartiennent à des mythes-clés

Figure 5.1 Lier les niveaux d'apprentissage aux éléments du programme d'études

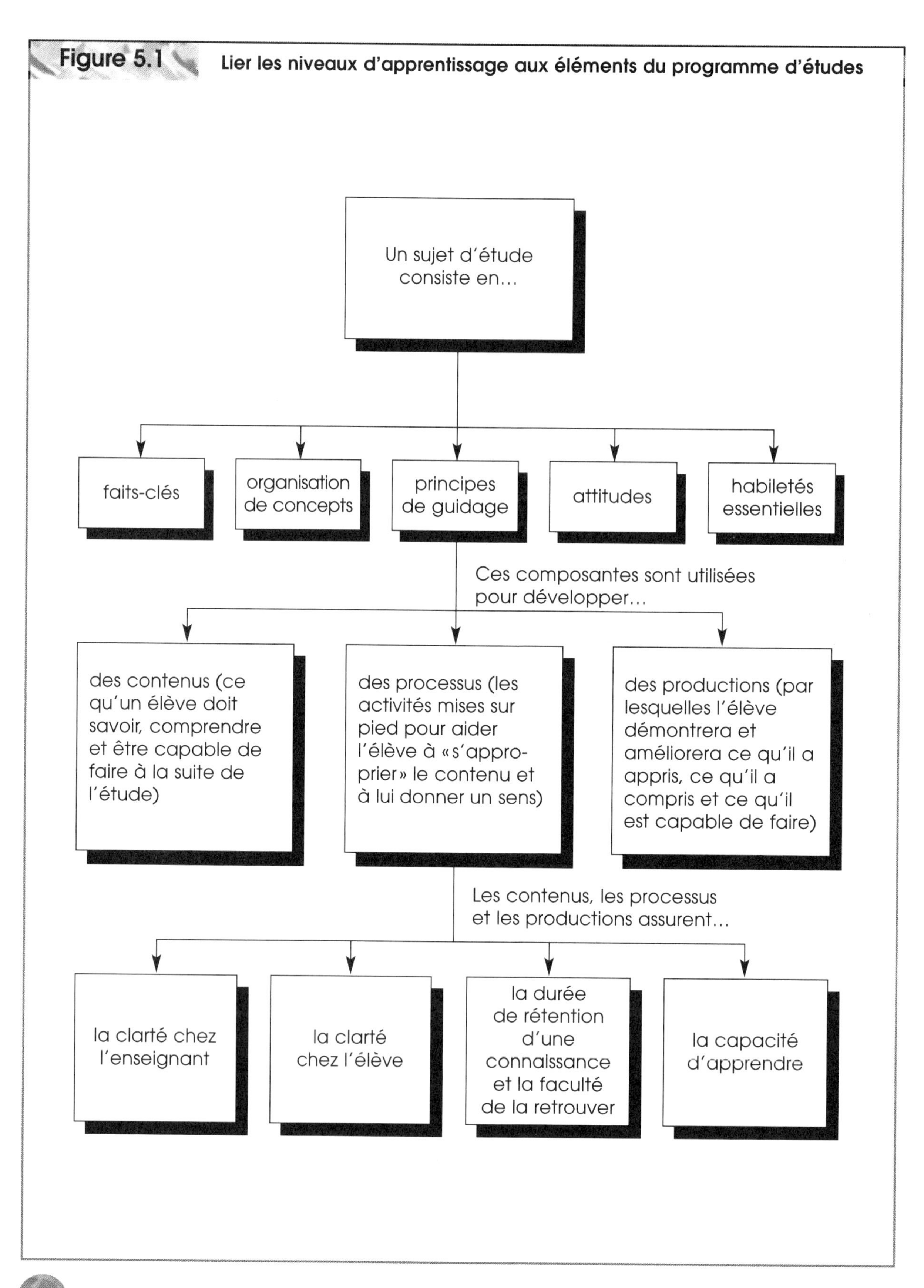

dans des contextes variés. Des noms importants et des événements contribuent ainsi à enrichir le vocabulaire des élève et leur connaissance des symboles et des allusions qui s'appliquent à leur culture et à d'autres.

Ce sont les faits, les concepts et les principes-clés qui aident madame Johnson à choisir les mythes qu'elle veut que ses élèves connaissent (contenu). Elle sait qu'elle doit choisir des mythes qui reflètent plusieurs cultures et qui comprennent des exemples évidents de héros ; qui montrent divers points de vue sur des religions, des communautés et des sciences ; et qui font connaître des événements et des personnages. Ces mythes sont des symboles culturels souvent évoqués et auxquels on fait fréquemment allusion.

Madame Johnson met au point des activités de base qui aident les élèves à établir des liens entre ce qu'ils lisent et ce dont ils entendent parler au sujet des mythes de leurs propres cultures, leurs croyances et leurs façons de penser. Elle met aussi au point des activités qui exigent que les élèves pratiquent des habiletés visées afin de les parfaire. Elle enseigne les habiletés au fur et à mesure que les élèves en ont besoin. Par exemple, elle et ses élèves découvriront ce qui engendre un héros dans les mythes grecs, norvégiens et africains. Elle envisage que les élèves écrivent un dialogue entre un héros de la mythologie et un héros contemporain et qu'ils le présentent éventuellement à la classe. Elle demande aux élèves de procéder en permettant aux lecteurs ou aux auditeurs de comparer et de mettre en opposition les cultures et les croyances des héros. Pour y arriver, les élèves doivent connaître des personnages et des événements marquants, comprendre le concept de héros, se servir des principes qu'ils ont étudiés et exercer leur habileté à écrire un dialogue.

Lorsqu'elle développe une tâche pour une production, madame Johnson offre aux élèves plusieurs possibilités. Toutes ces possibilités exigent des élèves qu'ils :

- démontrent leur compréhension des mythes en tant que miroirs des héros et de la culture ;
- utilisent des connaissances de base au sujet de personnages et d'événements appartenant à des mythes très importants ;
- exercent les habiletés visées, tels la pensée et le langage métaphoriques, la construction de dialogues, les comparaisons et les contrastes.

Madame Johnson est claire à propos de ce que les élèves doivent connaître, comprendre et être capables de faire à la fin du module, ce qui favorise leur engagement. Les élèves comprennent que les mythes anciens ressemblent à leur propre vie ; les mythes sont logiques, semblent réels et peuvent être associés à des choses contemporaines d'importance. Les mythes stimulent la compréhension des élèves parce qu'ils établissent des liens entre une nouvelle connaissance et une vision, et ce qui leur est familier.

Les activités proposées par madame Johnson offrent un cadre efficace pour amener les élèves à structurer et à organiser leurs connaissances. Elles renforcent et mettent en relation les occasions d'apprentissage de tous les éléments du programme d'études. Néanmoins, madame Johnson n'a pas encore commencé à pratiquer l'enseignement différencié pour les élèves qui ont une préparation, un intérêt et un profil d'apprentissage différents. Elle jette cependant les fondations pour le faire d'une manière riche et significative.

À l'œuvre pour construire des classes différenciées !

Même dans les classes différenciées les plus excitantes et les plus efficaces, les enseignants ne possèdent pas les réponses à toutes les questions. Ce sont plutôt des gens tenaces qui se présentent en classe chaque matin avec la conviction qu'ils trouveront une meilleure façon de faire les choses — même si la leçon de la veille était fort dynamique. Ils croient qu'ils découvriront une meilleure façon d'enseigner s'ils cherchent avec acharnement et étudient les indices qui sont déjà présents dans ce qu'ils font. Cette conviction oriente, chaque jour, tous les aspects de leur travail.

Les enseignants de ce type évitent les « recettes toutes faites » pour enseigner. Ils savent que même s'ils empruntent l'idée d'un collègue (une pratique réussie, acceptée par les enseignants), ils devront l'adapter aux besoins de leurs apprenants, l'insérer dans les objectifs d'apprentissage essentiels de leur propre classe et la polir afin qu'elle devienne un catalyseur de l'engagement et de la compréhension de leurs propres élèves. Susan Ohanian (1988), une enseignante chevronnée, se sert de l'adage de Confucius qui affirme que quelqu'un peut nous révéler un « coin » de la compréhension, mais que nous devons trouver nous-mêmes les trois autres.

> *Je connais beaucoup d'enseignants qui sont déçus, indignés et finalement déprimés parce que personne ne leur a fourni les « quatre coins » de la compréhension... C'est à nous de faire des recherches et de collaborer avec les enfants afin de trouver les trois autres coins.*
> *Et parce que l'enseignement doit se renouveler constamment, si nous ne cherchons pas à approfondir notre compréhension, nous découvrirons que les coins que nous croyions connaître très bien nous échappent continuellement. Il y a des virages subtils et constants dans une classe d'école. On ne peut être certain de connaître le plan de base pour toujours et à jamais (traduction libre de Ohanian, 1988, p.60).*

Les chapitres 6, 7 et 8 donnent des exemples de programmes de formation et d'enseignement différenciés afin d'illustrer les principes-clés de la différenciation (voir la figure 6.1). Ce ne sont pas des recettes toutes faites qui sont applicables illico, mais plutôt la révélation d'un « coin » du processus de différenciation qui permettra aux enseignants de poursuivre leur découverte des « trois autres coins ».

Les notes qui accompagnent ces exemples sont tout aussi importantes, sinon plus, que les situations elles-mêmes. Elles éclairent le processus de pensée qui permet aux enseignants de rechercher les « trois autres coins » adaptés à leurs propres élèves, à leurs disciplines ainsi qu'à leurs personnalités et à leurs besoins en tant qu'éducateurs et êtres humains.

Différencier : quoi, comment et pourquoi

Il est utile de se poser les trois questions suivantes avant d'aller plus loin.

- « Qu'est-ce que l'enseignant différencie ? »
- « Comment fait-il de la différenciation ? »
- « Pourquoi fait-il de la différenciation ? »

Dans les exemples des sections suivantes, **Quoi différencier ?** renvoie à l'élément du programme que l'enseignant a modifié pour répondre aux besoins des apprenants de sa classe. Cet aspect illustre donc la différenciation dont l'enseignant a fait preuve en ce qui concerne :

- les contenus (ce que les élèves vont apprendre et le matériel didactique qui soutient l'apprentissage visé) ;
- les processus (les activités qui permettent aux élèves de comprendre des idées-clés en utilisant des habiletés essentielles) ;
- les productions (comment les élèves démontrent ce qu'ils ont appris et ce qu'ils peuvent accomplir après une certaine période d'apprentissage) ;
- l'environnement d'apprentissage (l'aménagement de la classe qui permet de créer l'atmosphère en fonction des attentes d'apprentissage).

Un ou plusieurs de ces éléments peuvent être différenciés pour n'importe quelle expérience d'apprentissage donnée.

Figure 6.1 **Principes-clés d'une classe différenciée**

- L'enseignant est clair à propos des éléments essentiels de chaque matière.
- L'enseignant comprend les différences entre les élèves, il les apprécie et bâtit à partir de celles-ci.
- L'enseignant ajuste le contenu, le processus et la production en fonction du niveau de rendement de l'élève, de ses intérêts et de son profil d'apprentissage.
- L'évaluation et l'enseignement sont inséparables.
- Tous les élèves travaillent en respectant les autres.
- Les élèves et l'enseignant collaborent à l'apprentissage.
- Une classe différenciée vise le progrès optimal de chacun et la réussite individuelle.
- La flexibilité caractérise la classe différenciée.

Comment différencier? fait référence aux traits de caractère de l'élève auxquels la différenciation répond. Cet aspect désigne la manière dont l'enseignant différencie afin de mieux correspondre au niveau de rendement de l'élève relativement à l'apprentissage, à ses intérêts et à son profil d'apprentissage. Encore une fois, toute expérience d'apprentissage peut être différenciée pour répondre à un ou à plusieurs de ces traits.

Pourquoi différencier? précise les motifs qui poussent un enseignant à différencier l'expérience d'apprentissage. Les enseignants croient que de nombreuses raisons justifient la différenciation; trois d'entre elles sont primordiales:

- rendre l'apprentissage accessible à l'élève;
- motiver l'élève à apprendre;
- rendre l'apprentissage efficace.

Ces trois raisons qui poussent à différencier l'enseignement, ou l'une d'entre elles, peuvent être liées au niveau de rendement des élèves pour l'apprentissage, aux intérêts et au profil d'apprentissage de ceux-ci.

Par exemple, nous ne pouvons apprendre ce qui nous est inaccessible et que nous ne comprenons pas. L'apprentissage est limité si nous sommes démotivés par des choses qui sont trop difficiles ou encore trop faciles. Par contre, nous apprenons avec beaucoup plus d'enthousiasme les choses qui nous intéressent et nous apprenons plus efficacement lorsque notre bagage de connaissances antérieures et d'expériences est pertinent. Nous apprenons aussi bien mieux si nous pouvons obtenir l'information et exprimer notre compréhension grâce au mode d'apprentissage que nous privilégions.

Les sections suivantes donnent des exemples de programmes de formation et d'enseignement différenciés. Quelques-uns donnent des exemples de différenciation simple, mais importante. D'autres sont plus approfondis. Après chaque section, vous trouverez une analyse des réflexions de l'enseignant au moment où il planifiait dans le but de répondre aux besoins de l'élève. Il peut être intéressant de faire votre propre analyse avant de lire celle que nous proposons.

La différenciation et l'enseignement centré sur les habiletés

Le fait de toujours enseigner isolément des habiletés peut enlever à l'apprentissage sa pertinence et sa force. Il y a des moments dans la plupart des cours où les enseignants choisissent, avec raison, de demander aux élèves d'exercer une habileté particulière. Dans un scénario de réussite, les enseignants demandent ensuite aux élèves d'accomplir des tâches significatives ou de résoudre des problèmes difficiles en utilisant ces habiletés.

Dans toute classe, le niveau de rendement des élèves relativement à une habileté particulière varie souvent. La plupart des enseignants ressentent donc le besoin de différencier la façon dont les élèves exercent des habiletés. Voici quelques exemples de tâches différenciées sur la base des habiletés et de la compréhension qu'ont les enseignants du stade de développement des élèves.

Première année : la classification

Hier, les élèves de première année de madame Lane ont fait une randonnée dans la nature. Les élèves devaient rapporter en classe divers objets qui stimulaient leur pensée scientifique. En équipes, ils classifieront aujourd'hui les objets qu'ils ont ramassés au cours de leur promenade.

Tous les élèves classifieront d'abord les objets selon qu'ils sont vivants ou inanimés. Ensuite, à l'intérieur de ces deux catégories, ils les classifieront selon d'autres similitudes (comme la forme, la dimension, la couleur et le type d'objet). Néanmoins, madame Lane a proposé une tâche légèrement différente à certaines équipes. Certains élèves se contenteront de classifier les objets eux-mêmes. Pour d'autres élèves particulièrement habiles en lecture, elle a remplacé certains objets par des fiches sur lesquelles elle a écrit le nom des objets. Selon leur capacité à lire les noms des objets, les jeunes lecteurs reçoivent une ou deux fiches, voire plus encore.

Quoi différencier? L'enseignante différencie le matériel. Elle différencie donc le contenu.

Comment différencier? Elle différencie l'enseignement en se basant sur l'évaluation continue des niveaux de lecture.

Pourquoi différencier? Elle veut que les jeunes lecteurs aient le plus d'occasions possible d'exercer leurs habiletés de lecture. Les fiches de mots aident aussi les non-lecteurs : alors que les élèves des différentes équipes comparent leur classification, les non-lecteurs verront des liens objets-mots, ce qui est essentiel pour apprendre à lire.

Quatrième année : le centre de correction d'épreuves

Dans la classe de quatrième année de monsieur Mack, on trouve un « centre de correction d'épreuves » où les élèves raffinent leur habileté à repérer et à corriger des erreurs de ponctuation, d'épellation et de structure de phrases. Les élèves trouvent quelquefois dans ce centre des messages rédigés par des personnages d'histoires qu'ils sont en train de lire, par des personnes qui font la manchette, par leur enseignant ou encore par des gnomes qui vivent, selon monsieur Mack, dans les recoins de la classe pour observer ce qui se passe.

Évidemment, c'est monsieur Mack qui écrit tous ces messages avec humour et sagesse. Il s'assure de varier les types d'erreurs et leur niveau de difficulté selon l'élève qui devra les corriger.

D'autres fois, les élèves laissent leurs propres textes dans une boîte au centre de correction d'épreuves et leurs camarades de classe les aident à polir leurs brouillons. Monsieur Mack lit aussi ces textes et il demande parfois à un élève en particulier de réviser certains d'entre eux. Il sait que le texte choisi permettra au réviseur ciblé de démontrer sa compétence tout en répondant aux besoins du rédacteur.

Quoi différencier? L'évaluation de l'enseignant est centrée sur le niveau de maîtrise de l'habileté. Monsieur Mack différencie aussi les processus ou les activités qu'il crée en fonction des besoins des élèves et de leurs habiletés.

Comment différencier? L'enseignant différencie surtout d'après le niveau de rendement des élèves – dans ce cas, à épeler, à ponctuer et à structurer des phrases. Il demeure aussi vivement conscient des intérêts de l'élève. Il prend plaisir à écrire des notes farfelues, remplies d'erreurs, et à les signer du nom de personnages de livres, de héros sportifs ou de gnomes, sachant très bien que ces notes amuseront certains apprenants. Quand il le peut, il choisit les sujets des textes que rédigent les élèves en fonction de l'intérêt des réviseurs. Cette approche fonctionne. Dans la classe de monsieur Mack, les élèves se réjouissent de faire de la correction d'épreuves.

Pourquoi différencier? Les élèves de monsieur Mack ont des habiletés différentes pour écrire et pour réviser des textes, ce qui crée des besoins différents. Donc, en proposant des textes qui comportent des erreurs variées, il les fait progresser rapidement et efficacement. Monsieur Mack évite aussi l'ennui que provoque la répétition inutile d'exercices faisant appel à des habiletés déjà acquises et il contourne la confusion qui survient quand les habiletés nécessaires dépassent le niveau de rendement de l'élève. L'attention qu'il porte au niveau de l'élève l'amène aussi à former de petits groupes et à leur enseigner certaines habiletés précises. Il leur offre des tâches similaires afin de vérifier le travail réalisé. En outre, l'humour de monsieur Mack et la possibilité qu'il donne aux élèves de s'aider entre pairs motivent beaucoup les élèves.

Deuxième année : la littératie

Madame Howe a construit plusieurs panneaux de littératie où des têtes de gros clous ressortent d'un contreplaqué de couleurs vives. Les élèves font de la littératie en accrochant, dans le bon ordre, des mots aux clous.

De plus, madame Howe donne aux élèves une tasse remplie d'étiquettes. Chaque étiquette comprend un mot à mettre en ordre alphabétique. Dans certaines tasses, elle met des mots moins familiers qui n'ont que peu de syllabes et dont les premières lettres sont différentes. Dans d'autres tasses, elle met des mots dont l'épellation ou la composition se ressemblent. Quelquefois, elle écrit des mots inventés sur certaines étiquettes. Les élèves ont une petite récompense s'ils trouvent le mot inventé et s'ils « prouvent » à la classe qu'il est inventé en citant une règle ou en utilisant un dictionnaire.

Quoi différencier? L'activité ou le processus restent sensiblement les mêmes. C'est le matériel ou les contenus qui varient.

Comment différencier? Encore une fois, le niveau de rendement de l'élève est au cœur de la différenciation. Pour certains élèves, c'est un défi important de mettre en ordre alphabétique des mots comme « dodo » et « dodu ». Pour d'autres, des mots comme « chose » et « choisir » ou « librairie » et « libraire » correspondent mieux au défi qu'ils sont en mesure de relever.

Pourquoi différencier? Dans ce cas aussi, la facilité de compréhension et un apprentissage efficace sont importants. Madame Howe veut rejoindre l'élève au niveau d'habileté qu'il a atteint et elle veut aider chaque enfant à progresser le plus rapidement possible. Il est important de se rappeler que du matériel didactique peut servir pendant longtemps. Une tasse remplie d'étiquettes qui met au défi un lecteur au mois de septembre peut servir, en décembre, à un autre lecteur dont l'acquisition des habiletés se fait plus lentement.

Huitième année : l'éducation physique

Monsieur Grant organise souvent des parties de volley-ball avec toute sa classe d'éducation physique afin que tous apprennent à fonctionner en équipe. À d'autres moments, il divise la classe en deux. À un bout du gymnase, des élèves jouent une partie de volley-ball. Monsieur Grant demande à des élèves qui ont des compétences en leadership et à des élèves qui connaissent bien ce sport d'arbitrer ces parties. À l'autre extrémité du gymnase, il regroupe les élèves qui ont de la difficulté avec des habiletés de base comme faire une passe d'attaque, exécuter un smash, ou recevoir le ballon convenablement. La composition du groupe qui reçoit un enseignement direct change régulièrement et est flexible.

Quoi différencier? Monsieur Grant différencie les occasions d'apprentissage qu'ont les élèves pour les amener à maîtriser une habileté. L'habileté particulière (contenu) et l'activité en petit groupe (processus) varient toutes les deux.

Comment différencier? Dans une large mesure, monsieur Grant centre son attention sur le niveau de rendement de élève à l'égard d'une habileté. Il s'occupe aussi du profil d'apprentissage des l'élèves en permettant à ceux qui ont des talents particuliers en leadership d'exercer ces habiletés.

Pourquoi différencier? La pratique d'un sport est plus agréable pour les élèves quand ils peuvent améliorer leur jeu. Ils y parviennent mieux lorsque leurs besoins individuels sont comblés de manière systématique pendant au moins une partie du cours.

Dixième et onzième année : la langue étrangère

Dans le cours d'introduction à l'allemand de madame Higgins, elle et ses élèves mettent l'accent sur l'étude des temps de verbes au passé. Mais la facilité et la vitesse d'apprentissage d'une langue étrangère varient considérablement selon les élèves.

Un groupe d'élèves qui ont de la difficulté avec les concepts grammaticaux en général et avec les concepts grammaticaux allemands en particulier feront des exercices d'automatisation en utilisant des phrases dont de grandes parties sont en allemand. Cependant, chaque phrase comprend un verbe de la langue maternelle des élèves et ceux-ci doivent trouver la forme correcte du verbe correspondant en allemand. Quelquefois, un nom ou un pronom est donné dans la langue maternelle des élèves, qui doivent trouver le bon verbe allemand. Madame Higgins s'assure que les verbes manquants sont réguliers et que d'autres mots manquants sont essentiels pour faire une traduction et une conversation simples.

Elle propose une activité similaire à un groupe d'élèves un peu plus compétents. Mais les élèves doivent s'attaquer à un plus grand nombre de mots manquants, qui sont plus difficiles, et qui incluent des verbes irréguliers. Un autre groupe d'élèves travaille sur les mêmes phrases que le groupe précédent, mais presque toutes les phrases sont dans la langue maternelle des élèves et elles doivent être traduites en allemand. Deux ou trois élèves de la classe de madame Higgins n'ont pas besoin d'exercices d'automatisation. Elle leur donne un scénario à élaborer et leur demande d'y inclure des constructions grammaticales particulières. Ils peuvent consigner le scénario par écrit ou l'enregistrer sur un magnétophone. Une tâche qu'un groupe termine aujourd'hui peut devenir, dans les prochains jours, le travail à la maison d'un groupe moins avancé.

Quoi différencier ? Les élèves travaillent sur différents contenus. Tous étudient les verbes au passé, mais d'autres éléments de la phrase ou du vocabulaire varient.

Comment différencier ? À partir du niveau de rendement de l'élève, qui se mesure à sa compétence à faire des constructions grammaticales de base.

Pourquoi différencier ? Certains élèves ont besoin de davantage de guidance et d'exercice pour maîtriser la formation des verbes simples et réguliers, avant qu'on leur propose de nouveaux défis. D'autres sont prêts à s'attaquer aux verbes irréguliers, qui sont plus complexes ; ils s'appuient sur un éventail plus large d'éléments de la phrase et du vocabulaire. Quand madame Higgins varie les exigences par différents niveaux de complexité ou d'autonomie requise, ou encore par des activités ouvertes, elle s'assure que les élèves gravissent lentement les échelons des habiletés à partir de leur degré d'aisance. En proposant aux élèves des tâches qui correspondent à leur niveau, elle peut aussi mieux orienter l'enseignement direct et répondre à leurs besoins. Ce procédé auquel elle a recours à quelques occasions permet aux élèves qui éprouvent des problèmes avec l'allemand de ne pas ajouter à leur confusion et à leur sentiment d'échec en sautant des étapes d'apprentissage. Elle s'assure aussi que les élèves ayant une plus grande facilité d'apprentissage n'ont pas l'impression de faire du « surplace » ni un sentiment de complaisance à l'égard de la langue.

Sixième année : l'épellation

En septembre, madame Estes fait un prétest d'épellation avec ses élèves. Elle découvre habituellement qu'elle a des élèves qui travaillent avec des mots de deuxième année et d'autres qui se rendent jusqu'à la liste des élèves de huitième année. Elle suit ensuite une procédure d'épellation qui est la même pour tous, mais chaque élève travaille avec une liste adaptée à sa capacité actuelle d'épeler des mots. Elle utilise des codes de couleurs pour classer les mots de sa liste plutôt que de les marquer par niveaux.

Les élèves ont un cahier d'épellation dans lequel ils écrivent les 10 mots de leur liste d'épellation. Ils rédigent ensuite des phrases avec ces mots et ils demandent à un camarade de les vérifier. Puis, ils corrigent leurs fautes avant de faire valider le tout par l'enseignante. Ils corrigent les fautes qui restent et écrivent chaque mot cinq fois. Enfin, un camarade de classe leur fait subir un questionnaire sur les dix mots. Tout mot qui n'est pas bien écrit à cette étape est reporté sur la liste suivante. Madame Estes fait passer des tests individuels en utilisant des listes sur lesquelles les élèves ont déjà travaillé. Encore une fois, les mots mal épelés sont reportés sur la prochaine liste. Les répétitions que comporte cette procédure sont assez efficaces et permettent aux élèves d'assimiler des modèles-clés d'épellations. À un moment ou l'autre de l'année scolaire, les élèves qui présentent des compétences pour épeler des mots de la liste de huitième année travaillent sur un vocabulaire qui permet de mettre en lumière les racines des mots et leurs dérivés dans les diverses langues.

Quoi différencier? Madame Estes différencie le contenu en modifiant les listes d'épellation. Le processus ou l'activité reste le même pour tous les élèves, sauf pour ceux qui ont réussi les tests d'épellation. Pour ceux-là, le contenu et le processus sont modifiés.

Comment différencier? Toute la différenciation appliquée aux exercices d'épellation est basée sur l'évaluation du niveau de rendement de l'élève.

Pourquoi différencier? Ce procédé permet à tous les élèves de progresser à un rythme qui convient à chacun. Le degré, l'autonomie et l'aide des pairs motivent efficacement les élèves moyens.

Septième année : la révision

Le jeu de « balle-éclair » est très populaire auprès des élèves de septième année. Plusieurs enseignants l'utilisent pour réviser certaines notions et pour aider les élèves à saisir des connaissances et des informations importantes.

Les guides de révision de l'enseignant suggèrent de former des groupes hétérogènes de quatre à six élèves. Les équipes font ensuite une partie de balle-éclair. L'enseignant appelle un premier élève, qui se présente à une ligne marquée avec un ruban-cache. L'enseignant pose une question à l'élève ; si ce dernier répond correctement, il peut lancer une balle de tennis sur un panneau de contreplaqué de couleurs vives. Le panneau est percé d'un petit trou dans chaque coin et d'un gros trou au centre. Lorsque l'élève atteint le panneau avec la balle, l'équipe gagne un point ; s'il fait pénétrer la balle dans le trou central, l'équipe obtient trois points, alors qu'elle en obtient cinq si la balle pénètre dans un des quatre petits trous.

Les élèves qui sont spectateurs et qui parlent pendant la partie font perdre cinq points à leur équipe. Tous les élèves doivent demeurer attentifs, car ils peuvent être appelés à répondre à des questions posées au hasard pour corriger une mauvaise réponse et ainsi gagner des points. L'enseignant adapte les questions au niveau de compréhension et aux habiletés de chaque élève, ce qui lui permet de poser un défi approprié à chacun et de lui donner une chance de marquer des points pour l'équipe.

Quoi différencier ? Le contenu est différencié ; l'activité reste la même.

Comment différencier ? L'enseignant différencie selon le niveau de rendement de l'élève.

Pourquoi différencier ? Les élèves sont très motivés par le rythme rapide de ce jeu et, encore plus, parce qu'ils ont des chances égales de lancer les balles. De plus, l'adresse requise pour lancer la balle n'est pas nécessairement en corrélation avec le niveau de rendement d'un élève pour un sujet donné ; le plus grand nombre de points est d'ailleurs souvent gagné par des élèves qui ne sont peut-être pas des vedettes sur le plan du rendement scolaire.

D'autres principes présents dans les exemples

Les élèves ne se sentent pas toujours motivés par les activités axées sur le rendement scolaire. Bon nombre d'enseignants réussissent néanmoins à rendre ces activités conviviales grâce à l'humour, à l'exploitation kinesthésique et à la collaboration des élèves. Dans tous les cas, ces activités sont également respectueuses parce qu'aucune version n'est préférable ou moins désirable qu'une autre. Le respect qui entoure ces activités est aussi évident parce que chaque élève se trouve directement centré sur l'habileté que l'enseignant considère comme essentielle.

Dans les exemples précédents, nous avons aussi vu des enseignants qui procèdent à une évaluation continue du niveau de rendement des élèves, de leurs intérêts et de leur profil d'apprentissage dans le but de faire correspondre les tâches aux besoins. Ils n'imposent pas des activités qui ne conviennent pas aux élèves. Il est aussi clair que, dans ces exemples, le niveau est en relation avec une compétence particulière à un moment précis ; il ne s'agit aucunement d'une observation immuable de l'habileté ou du manque général d'habileté d'un enfant.

Par exemple, un enfant qui comprend bien la littérature peut éprouver des difficultés d'épellation. Un enfant qui épelle bien les mots peut difficilement comprendre ce qu'il lit. Un enfant qui doit traverser beaucoup de barrières pour arriver à écrire des phrases en allemand peut très bien réussir à parler allemand. Certains élèves doivent se démener dans beaucoup de domaines, alors que d'autres sont très avancés dans bien des domaines. Mais la plupart d'entre eux ont de la facilité dans certains domaines alors qu'ils en ont moins dans d'autres. Il est plus juste et plus précis d'étudier le niveau de rendement de l'élève en fonction d'un aspect particulier que de se baser sur une habileté pour porter un jugement sur ses capacités générales.

Enfin, l'objectif de ces enseignants est de créer des « ascenseurs » de l'apprentissage. Ils ne présument pas qu'il n'y a qu'une liste d'épellation pour tous les élèves de sixième année, ni une seule série d'habiletés en volley-ball pour tous les élèves de septième année, ni une seule série de phrases à apprendre pour tous les élèves novices en allemand. Ces enseignants visent systématiquement un but : déterminer quels élèves n'ont pas atteint le premier, le deuxième ou le troisième étage des niveaux de performance afin de les élever à un étage supérieur sans qu'il y ait trop d'écart par rapport aux attentes et sans que les élèves soient désespérés d'y arriver. Ils poursuivent aussi le but systématique de déterminer quels élèves ont dépassé le premier, le deuxième ou le troisième étage des niveaux de performance afin de les faire progresser sans qu'ils fassent du surplace et de manière à ce qu'ils perçoivent l'apprentissage comme synonyme d'effort et de défi.

La différenciation et l'enseignement basé sur les concepts

À l'aide des exemples d'enseignement différencié qui suivent, nous continuerons d'approfondir les principes et les croyances abordés à la section précédente. Cependant, les prochains exemples démontrent la volonté des enseignants d'intégrer plusieurs, sinon tous les niveaux d'apprentissage (faits, concepts, principes, attitudes et habiletés) et de différencier le programme d'études et l'enseignement en partant de ce point de départ plutôt riche.

Douzième année : l'étude du gouvernement

Pendant trois jours, les élèves de la classe de monsieur Yin effectuent une recherche en équipes de trois, quatre ou cinq personnes. Leur travail porte sur le gouvernement et vise à comprendre les impacts de la Déclaration des droits, dans le temps, sur divers groupes de la société. Les élèves poursuivront ainsi leur exploration du concept de changement. Ils exploreront aussi la façon dont les institutions qui gouvernent la société et les documents sur lesquels celles-ci s'appuient évoluent pour répondre aux besoins qui changent au fil du temps. Ils démontreront leurs habiletés pour la recherche et la rédaction d'exposés.

Monsieur Yin a regroupé les élèves selon des niveaux de rendement en lecture quasi similaires. Tous les groupes de recherche doivent explorer un des aspects suivants :

- Les amendements à la Déclaration des droits, ou encore un amendement en particulier, ont permis, avec le temps, de couvrir davantage de sujets.
- Les événements sociétaux ont amené une nouvelle interprétation d'un ou de plusieurs amendements à la Déclaration des droits.
- Les jugements rendus par les cours de justice ont redéfini un ou plusieurs des amendements.
- Les interprétations ou les applications courantes d'un ou de plusieurs des amendements.
- Les problèmes non résolus relatifs aux amendements.

Les élèves utilisent aussi une grille commune présentant les critères d'une bonne structure de texte et d'un contenu bien rédigé. Chaque élève doit écrire un texte exposant ce qu'il a appris de la recherche en groupe. De nombreuses sources écrites, informatiques, vidéo et audio sont aussi disponibles pour tous les groupes.

Cette tâche présente certains éléments communs, mais monsieur Yin a différencié le travail de deux façons importantes. Quelques équipes étudieront certains groupes de la société qui leur sont plus familiers, des secteurs où les problèmes sont clairement définis ou des secteurs sur lesquels il existe plus de renseignements disponibles pour un niveau de lecture de base. D'autres équipes étudieront des groupes sociétaux qui leur sont moins familiers, des problèmes moins bien définis ou des problèmes pour lesquels les sources documentaires sont plus complexes.

Les élèves peuvent choisir d'écrire un essai, une parodie ou un dialogue pour exprimer ce qu'ils ont compris. Monsieur Yin fournit des lignes directrices pour chaque forme.

Quoi différencier ? Alors que les questions soulevées demeurent les mêmes, l'activité ou le processus varie selon le mode d'expression retenu. En plus, les ressources disponibles pour la recherche et les facettes du contenu diffèrent.

Comment différencier? Monsieur Yin a décidé de différencier l'enseignement selon les capacités des élèves à écrire, à lire ou à penser abstraitement. Il aurait pu différencier en fonction de l'intérêt en faisant choisir aux élèves un groupe de la société qui les intéressait particulièrement. De plus, ses trois choix de productions sont basés sur le niveau de rendement et sur le profil d'apprentissage des élèves. L'essai exige probablement une réflexion et une utilisation de la langue moins complexes que pour la parodie. Des élèves sont plus attirés par la forme du dialogue que par celle de l'essai.

Pourquoi différencier? Monsieur Yin accorde beaucoup d'importance à l'accessibilité du matériel. La complexité du matériel de recherche et la clarté des sujets varient considérablement. En reliant l'élève, le matériel et les sujets, il augmente les chances que le défi que les élèves auront à relever soit à leur niveau. Ils pourront aussi saisir des concepts et des principes essentiels. Dans le même ordre d'idées, il leur offre un choix de moyens d'expression présentant divers niveaux de difficulté. Parce qu'il a fait des choix pour ces trois jours et qu'il a demandé aux élèves d'en faire d'autres, il crée un équilibre entre son propre rôle et le besoin des élèves de prendre des décisions à propos de leur propre apprentissage.

Première année: les modèles

Monsieur Morgan et ses élèves de première année recherchent, partout où ils vont, des modèles dans la langue, l'art, la musique, les sciences et les nombres. Ils comprennent un principe: les modèles impliquent des répétitions et ils sont prévisibles. Aujourd'hui, monsieur Morgan et ses élèves travaillent avec les modèles en écriture.

Tous les élèves ont abordé la manière dont certains écrivains exploitent les structures linguistiques. Ensemble, ils ont étudié avec attention ces modèles, les ont récités, ont discuté des sons, des mots et des phrases. Ils ont écouté leur enseignant faire la lecture d'un passage de livre et ils ont prédit la suite de l'histoire sur la base des modèles déjà vus.

Monsieur Morgan a lu à ses élèves *The Important Book* (1949), auquel la célèbre auteure pour enfants Margaret Wise Brown intègre des modèles. La structure utilisée par madame Brown est la suivante:

La chose importante au sujet de____________est que________________,
que__________________, que_________________et
que________________.

Mais ce qui est important au sujet de _________________,
c'est que _________________.

Par exemple: La chose importante au sujet de la nuit est qu'elle est noire, qu'elle est calme, qu'elle donne la chair de poule et qu'elle fait peur. Mais ce qui est important au sujet de la nuit, c'est qu'elle est noire.

Les élèves de première année vont maintenant écrire un livre « important » pour leur classe, qui démontre leur maîtrise des structures d'écriture. Monsieur Morgan forme des équipes composées d'un nombre varié d'élèves. Il travaille avec les équipes qui nécessitent davantage de guidance au choix de l'important sujet dont ils traiteront par écrit. Ces élèves ont besoin d'aide pour comprendre à fond le concept de modèle et celui de l'écriture en soi. Monsieur Morgan les guide à mesure qu'ils lui disent ce qu'il faut écrire au tableau. Monsieur Morgan s'assure aussi que les élèves collaborent pour choisir un sujet, pour décrire ce qui est important à son propos et pour compléter le modèle. Il leur demande également de lire à tour de rôle le texte qu'ils ont écrit en groupe, de commenter la répétition que comporte le modèle et de dire comment celle-ci est prévisible. Quand l'activité est terminée, monsieur Morgan regroupe toutes les pages écrites par les équipes de la classe pour en faire un livre.

Parmi les autres équipes du groupe, des élèves travaillent deux par deux pour remplir un gabarit relatif au concept de modèle que monsieur Morgan a créé. Ils choisissent leurs propres mots pour remplir le gabarit et écrivent eux-mêmes leur réponse. Cependant, monsieur Morgan donne à ces élèves une banque de noms et d'adjectifs qu'ils peuvent utiliser s'ils manquent d'idées. Par ailleurs, quelques élèves de la classe sont très avancés en écriture. Leur travail consiste à écrire une page du livre à partir de rien. Au besoin, ils peuvent se référer au livre original, mais la plupart écrivent la page de mémoire et ils réussissent à maîtriser l'écriture adéquatement par eux-mêmes.

Au cours des jours suivants, monsieur Morgan demande aux élèves de chaque groupe de lire leur page à la classe. Il profite de cette occasion pour rediscuter du concept de modèle avec les élèves et pour les inciter à dire de quelle manière ils l'ont appliqué à la rédaction de leur livre. Finalement, les élèves illustrent les pages de leur livre, font une jaquette et une page de titre ; ils relient l'ouvrage et l'ajoutent à la collection de plus en plus importante de livres créés pour la bibliothèque de l'école.

Quoi différencier ? Le contenu de ce scénario reste sensiblement le même. Tous les élèves s'inspirent du même concept et des mêmes principes pour approfondir les mêmes habiletés d'écriture. Le processus ou l'activité change selon le niveau de soutien et d'accompagnement apporté par l'enseignant pendant la réalisation de la tâche.

Comment différencier ? En se basant sur son évaluation de la capacité de l'élève à écrire et à créer des modèles, l'enseignant a différencié l'activité en fonction du niveau de rendement de ce dernier.

Pourquoi différencier ? Dans la plupart des classes de première année, les élèves maîtrisent une grande variété d'habiletés langagières. Aussi, tous les élèves ont besoin d'occasions d'explorer la notion de modèle, de reconnaître des modèles et d'en créer, d'utiliser leurs habiletés d'écriture et de contribuer au livre de la classe. Pour représenter un défi respectant le stade de développement du langage de chacun, la tâche doit être variée.

Neuvième année : l'histoire

L'exemple suivant montre en détail comment madame Lupold et ses élèves de neuvième année ont étudié la Révolution industrielle aux États-Unis. Elle a conçu un module tenant aussi bien compte du niveau de rendement des élèves et de leurs intérêts personnels que de leur profil d'apprentissage. Il illustre bien aussi les principes-clés de la différenciation tels que la souplesse des groupes de travail et l'attribution de tâches respectant le niveau de chaque apprenant.

Ce module (et d'autres avec lesquels elle a travaillé tout au long de l'année) est basé sur des idées comme l'interdépendance, le changement, la révolution, la rareté versus l'abondance. Les élèves étudieront des principes tels que :

- Les changements qui affectent une classe de la société en affectent aussi d'autres.
- Les gens sont réfractaires au changement.
- Le changement est nécessaire au progrès.
- Quand des membres de la société ont un accès inégal aux ressources économiques, un conflit est souvent soulevé.
- Les problèmes d'une période particulière de l'histoire sont souvent semblables à ceux d'autres périodes.

La compréhension des textes, la technique de prise de notes, l'analyse, la reconnaissance ainsi que la transposition de thèmes historiques sont des habiletés mises en valeur.

Sans nommer aux élèves la période historique qu'ils vont étudier, madame Lupold leur demande de travailler avec des camarades de classe de leur choix à la création d'un réseau de concepts ou une carte d'organisation d'idées portant sur les connaissances apprises dans le précédent module. Cela les aide à utiliser leurs connaissances antérieures et à poser les fondations de ce qui est à venir.

Madame Lupold invite des volontaires qui aiment la lecture à haute voix à apporter à la maison des extraits de deux romans. Ils peuvent pratiquer leur lecture afin d'être prêts à lire devant la classe le lendemain. Aux lecteurs qui éprouvent des difficultés à lire, elle propose des passages de *Lyddie,* de Katherine Paterson (1991). Ces passages sont faciles à lire même pour les élèves dont les habiletés de lecture se situent sous le niveau attendu pour la neuvième année. Elle offre aux lecteurs plus habiles des passages plus difficiles tirés du livre *The Dollmaker,* de Harriett Harnow (1954), destiné aux lecteurs adultes.

Le lendemain, les volontaires lisent devant la classe deux passages des deux romans. Les passages décrivent les conditions de vie qui avaient cours aux États-Unis pendant la Révolution industrielle, mais ne précisent pas la période elle-même. Madame Lupold pose ensuite cette question aux élèves : « Que pouvait-il bien se passer aux États-Unis pour que les gens vivent de cette façon ? ». Les élèves écrivent d'abord ce qu'ils en pensent pendant deux minutes. Ensuite, ils se tournent vers un camarade assis tout près pour en discuter pendant deux minutes. Puis chaque paire d'élèves se joint à une autre paire pour partager leur réflexion à quatre. Ils débattent de la question pendant deux autres minutes, après quoi l'enseignante relance la question à tous pour une discussion avec toute la classe.

Finalement, madame Lupold fait le lien entre ce qu'ils ont lu dans le roman et les réseaux conceptuels qu'ils ont tracés la veille. Elle leur dit alors que cette période s'appelle la Révolution industrielle et elle aide les élèves à prédire comment le seul nom de cette période peut leur permettre d'imaginer la suite des romans. Elle termine la leçon en créant un diagramme avec les élèves. Madame Lupold dresse la liste des choses que les élèves connaissent de la Révolution industrielle ; des choses qu'ils connaissent, mais dont ils ne sont pas certains ; et des choses qu'ils veulent apprendre au cours du module.

Le troisième jour, les élèves regardent une vidéo au sujet de cette période de l'histoire et choisissent un des quatre aide-mémoire qu'ils doivent remplir dans leur carnet d'apprentissage. Les aide-mémoire, qui traitent tous du changement, proposent des niveaux de difficulté différents et les élèves sont libres de choisir celui qui leur convient. Ils lisent ensuite leur manuel et prennent des notes concernant leur lecture en utilisant un des trois schémas organisateurs fournis par l'enseignante. La structure des schémas varie et l'enseignante les distribue en fonction de son évaluation des habiletés des élèves à lire des textes.

Pendant que les élèves lisent, madame Lupold invite de petits groupes à s'asseoir par terre avec elle, en avant de la classe. Elle travaille avec eux sur le vocabulaire-clé, l'interprétation des passages-clés et la lecture directe, en se basant encore sur sa perception de leurs besoins en tant que lecteurs. Quand les élèves ont terminé un chapitre, elle leur fait subir un court questionnaire, visant non pas à accorder des notes, mais plutôt à savoir comment affecter les élèves à une activité qu'elle planifie pour les deux jours suivants.

Toute l'année, madame Lupold travaille avec les élèves à la reconnaissance des thèmes-clés de l'histoire. Elle favorise le transfert de connaissances, permettant ainsi aux élèves de comprendre que les gens issus d'époques différentes vivent souvent des expériences semblables. Pour assigner les élèves à un des quatre groupes de travail qui auront à définir les thèmes-clés de la Révolution industrielle et à les comparer à des événements contemporains, madame Lupold se base sur les connaissances antérieures des élèves, sur leur compréhension des informations essentielles étudiées jusque-là, ainsi que sur la perception qu'elle a de leurs compétences en lecture et de leurs réflexions sur l'histoire.

Pour commencer cette activité, madame Lupold lit plusieurs passages de *Dateline Troy* (1996), de Paul Fleischman. *L'Iliade* y est racontée sur les pages de gauche et l'auteur utilise des coupures de journaux et de magazines contemporains pour démontrer l'étroit parallèle entre les événements anciens et ceux d'aujourd'hui. Même si le livre traite d'une autre période que la Révolution industrielle, il constitue un modèle pertinent pour illustrer des principes similaires à deux époques.

Madame Lupold propose aux quatre groupes de la classe des activités conçues selon les prédispositions différentes des élèves. Elle nomme les groupes T, R, O, Y. Le groupe T est formé d'élèves avancés et le groupe R, d'élèves un peu moins avancés. Le groupe O est formé d'élèves légèrement sous les attentes du niveau scolaire en lecture et en histoire. Le groupe Y est celui qui a le plus de difficultés en lecture, en ce qui a trait à la compréhension et à l'interprétation de l'histoire. Afin de faciliter la clarté de nos explications, nous avons préféré réorganiser la désignation des groupes : le T devient le groupe éprouvant le plus de difficulté, alors que le groupe Y devient celui ayant le plus de facilité. (On respecte l'ordre alphabétique plutôt que l'ordre des lettres du mot « Troy ».)

Le groupe T doit s'inspirer du modèle de *Dateline Troy*. Par exemple, on dit aux élèves : « L'auteur raconte que, il y a 3 000 ans, on a procédé à une loterie pour déterminer qui était conscrit ; on a agi de même lors de la guerre du Vietnam. Maintenant, travaillez deux par deux et regardez la vidéo sur la Révolution industrielle une seconde fois. Utilisez-la, ainsi que votre manuel, pour trouver des choses importantes qui se sont passées pendant cette période. (Les consignes donnent certains exemples de choses importantes). Montrez-moi votre liste de thèmes importants avant de poursuivre l'activité. Vous regarderez ensuite les bulletins de nouvelles ou vous lirez les journaux afin de trouver des événements qui rappellent ceux qui se sont déroulés pendant la Révolution industrielle. »

Les élèves inscrivent sur un tableau à trois colonnes un événement-clé de la Révolution industrielle, un événement contemporain lui correspondant ainsi que leur justification. Madame Lupold leur demande par la suite de montrer à leurs camarades de classe une coupure de presse et de leur expliquer en quoi cet événement contemporain ressemble à un événement de la Révolution industrielle. Ils sont invités à présenter leur tableau sur un rétroprojecteur ou à faire leur propre schéma organisateur et à l'utiliser au moment de l'explication. Tous les équipiers doivent participer à la présentation.

Les élèves du groupe R travaillent en groupes de trois. Leur feuille de consignes leur demande d'abord de faire le lien entre les pages de droite de *Dateline Troy* et les pages de gauche. (Par exemple, quel est le problème que partagent Achille, à la page 48, et Darryl Strawberry, à la page 49 ?) Ensuite, madame Lupold leur demande de penser à cinq événements-clés de la Révolution industrielle et de faire des recherches dans des magazines comme *Time, Scolastic, Newsweek* et dans des journaux pour trouver cinq événements contemporains leur correspondant. Ils doivent ensuite sélectionner les deux meilleurs exemples et justifier leurs choix devant madame Lupold avant de continuer leur tâche. Finalement, ils doivent créer deux pages en regard : sur la page de gauche, ils relatent les événements de la Révolution industrielle et, sur la page de droite, ils réalisent un collage d'articles portant sur les événements contemporains qui s'en rapprochent. Pour ce collage, les élèves sont invités à utiliser des caricatures, des dessins faits à la main ou par ordinateur, des grands titres ainsi que les articles eux-mêmes. Tous les élèves du groupe doivent être prêts à faire une présentation devant la classe, à expliquer et à défendre leurs pages devant leurs camarades.

En travaillant en groupes de quatre, les élèves du groupe O doivent consulter le livre *Dateline Troy* et créer un livre similaire sur la Révolution industrielle. Ils doivent choisir huit événements de la Révolution industrielle qui démontrent la nature révolutionnaire de cette ère et choisir huit événements du même ordre qui se sont passés au cours du XXe siècle. Ils doivent ensuite créer ou trouver des illustrations, pour un collage, qui démontrent clairement le lien existant entre ces événements et trouver une manière d'exprimer et de montrer, dans leur livre, la similitude des deux « révolutions ». Les élèves doivent présenter leur plan de rédaction à madame Lupold avant de créer leur livre. Ils doivent employer un langage signifiant et dénicher des illustrations révélatrices. Chaque membre du groupe doit se tenir prêt à partager la création commune et à l'interpréter.

Les élèves du groupe Y travaillent en groupes de deux, trois ou quatre. Les consignes sont les suivantes : « La période que nous étudions s'appelle la Révolution industrielle ; pourtant, cette période ne mettait pas d'armées en cause comme c'était le cas pour la Révolution française, la Révolution américaine ou la Révolution russe. Il est possible que des individus vivent des expériences qui tiennent de la révolution. En utilisant *Dateline Troy* comme modèle, approfondissez ce sujet et montrez ce que vous considéreriez comme étant les éléments essentiels d'une révolution (par exemple, des changements rapides, la peur ou le danger). Vous devez comparer la Révolution industrielle, une révolution individuelle et une révolution militaire. Il faut que vous basiez votre analyse sur des thèmes importants, valides et défendables. Vous devez aussi communiquer efficacement vos idées, d'une manière juste, perspicace, articulée, avec un impact visuel fort facilitant la compréhension. »

Vers la fin du module, madame Lupold présente un exposé sur la Révolution industrielle pour mettre en lumière certains renseignements, certaines idées et certains thèmes qu'elle souhaite souligner. Elle utilise la structure du *New American Lecture* (Canter & Associates, 1996). Elle planifie le déroulement de son exposé, conçoit un organisateur graphique qui montre les étapes de son exposé (et dont les élèves peuvent s'inspirer afin de prendre des notes, s'ils le veulent) et présente son exposé en sections de quatre à six minutes. Une discussion en classe, suivie d'un résumé des arguments-clés, a lieu après chaque section.

Ensuite, elle demande aux élèves des groupes T et R d'exploiter leur matériel d'activités par étapes pour l'aider à démontrer que l'époque de la Révolution industrielle n'était pas très différente de l'époque actuelle. Les élèves continuent à approfondir cette idée en partageant leurs savoirs. Les groupes de partage sont formés d'un élève de chacun des quatre sous-groupes d'activités (madame Lupold n'avait pas mentionné aux élèves qu'elle les regrouperait de cette façon). Selon le groupe, les élèves doivent s'inspirer de *Dateline Troy* pour illustrer : comment la Révolution industrielle a influencé nos vies ; les événements majeurs de cette révolution ; les thèmes ou les éléments-clés de la Révolution industrielle ; de quelle manière la Révolution industrielle était révolutionnaire. Elle n'impose pas de question à un élève en particulier, mais puisque l'activité se déroule par étapes, chaque élève répond à au moins une question.

Les élèves effectuent ensuite une révision, en équipes de deux, pour préparer un jeu-questionnaire sur le module, en utilisant un guide d'étude proposé par l'enseignante et comprenant un vocabulaire de mots importants, des événements majeurs et des thèmes essentiels. Les élèves ont la possibilité de choisir un partenaire pour la révision et ils répondent ensuite au jeu-questionnaire. Une évaluation majeure de la compréhension du module de la part des élèves se déroule aux trois quarts du module, au moment où ils doivent réaliser une production. Cette production est terminée simultanément avec le début de l'étude du module suivant et doit illustrer une révolution :

- dans la vie privée ;
- depuis les 50 dernières années ;
- dans une culture ;
- dans un sujet ou un passe-temps ;
- ou dans le futur.

Les élèves doivent démontrer comment les concepts et les thèmes-clés (changement, rareté et abondance, interdépendance, danger) se reflètent dans la révolution qu'ils exploraient. Ils doivent faire des parallèles clairs avec la Révolution industrielle. Ils peuvent partager leurs découvertes et leur compréhension en écrivant un mémoire de recherche, en présentant un modèle, en créant un texte, une pièce musicale, ou théâtrale ou toute autre forme d'expression. Ils peuvent travailler seuls ou en groupes de quatre ou moins. L'enseignante fournit des grilles d'évaluation pour aider les élèves à s'assurer de la qualité de leur production et, au besoin, elle invite les élèves à adapter les grilles à leurs productions. Elle approuve chaque nouvelle grille ainsi créée.

Quoi différencier? Au cours du module, l'enseignante a différencié les contenus (elle utilisait des textes et des vidéos), les processus (l'activité par étapes qui portait sur *Dateline Troy*) et les productions (la tâche permettait diverses applications de notions-clés).

Comment différencier? Madame Lupold a différencié son enseignement en tenant compte du niveau de rendement des élèves, notamment lorsqu'elle a utilisé deux romans que des volontaires lisaient à haute voix. Elle a aussi différencié en fonction du niveau de rendement des élèves en misant sur le caractère plus ou moins abstrait des sources de référence proposées aux équipes de travail et en proposant aux élèves des tâches plus ou moins ouvertes. En offrant aux élèves la possibilité de choisir leur production et leur mode d'expression, elle a aussi différencié. Elle a également différencié son enseignement selon le profil d'apprentissage; en effet, elle a offert des conditions de travail variées pour la réalisation de la production et elle a fait appel à plusieurs forces des élèves lors des activités.

Autres considérations: madame Lupold a mis en pratique de nombreux principes-clés de différenciation. Toutes les activités étaient respectueuses du niveau d'apprentissage des élèves. Elles étaient intéressantes et centrées sur les idées et les habiletés essentielles. Elles représentaient un défi pour les élèves et visaient leur succès. Les élèves étaient seuls ou regroupés de multiples façons: aléatoirement, avec des partenaires de leur choix, avec des camarades qui ont une opinion différente de la leur, avec des élèves d'un même niveau de rendement ou avec des élèves de niveaux de rendement différents. Les groupes ont continuellement varié selon le choix de l'enseignante ou de l'élève.

L'enseignante apportait un soutien particulier aux élèves en difficulté de multiples façons. Elle leur proposait notamment: des vidéos pour accompagner les textes; des exposés courts et accessibles; un guide de révision; une tâche bien structurée par étapes. À partir d'éléments concrets, les élèves ont pu accéder à des notions plus abstraites portant sur la Révolution industrielle. De plus, madame Lupold a aussi offert des défis appropriés aux élèves plus avancés. À plusieurs occasions, elle leur a proposé des textes plus complexes et une tâche plus abstraite aux multiples volets. Elle leur a également donné l'occasion de travailler entre élèves ayant des niveaux de rendement similaires. Elle a porté attention aux habiletés de lecture, d'écriture et d'interprétation de tous les élèves de la classe et de petits groupes. Tous ses efforts ont permis de rendre la Révolution industrielle plus significative aux yeux des élèves, ce qui rend l'intégration de ces connaissances plus facile.

Dans tous les exemples de différenciation de ce chapitre, les enseignants précisaient clairement les faits, les concepts, les habiletés et les principes essentiels liés à leur sujet d'étude. Les enseignants cherchaient continuellement à établir le niveau de rendement de chaque élève et à vérifier les progrès réalisés par chacun d'eux. Ils essayaient ensuite de faire correspondre le programme au niveau de l'élève, à son intérêt et à son mode d'apprentissage. Ils voulaient donner aux élèves la chance d'apprendre de manière cohérente, selon un niveau de défi approprié, et de façon engagée. Tous les enseignants souhaitaient lier l'apprenant à l'apprentissage à réaliser, un processus souvent extrêmement difficile à envisager dans une classe que l'on voudrait homogène.

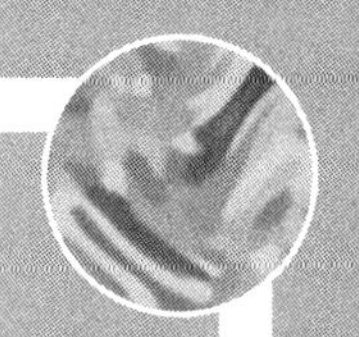

CHAPITRE 7

Des stratégies d'enseignement pour soutenir la différenciation

Les stratégies d'enseignement ne sont pas intrinsèquement bonnes ou mauvaises. Ce sont en fait des outils rattachés aux contenus, aux processus ou aux productions des élèves. Certains outils conviennent mieux que d'autres pour atteindre un objectif. Tantôt, ces outils sont utilisés avec adresse pour concevoir et réaliser des plans de cours, tantôt avec maladresse. Pratiquement toutes les stratégies d'enseignement peuvent être employées dans un contexte qui ne tient pas compte des différences d'apprentissage des élèves ; inversement, elles peuvent aussi faire partie d'une approche plus large qui respecte ces différences.

Par exemple, le recours à la stratégie de « recherche en groupe » pour initier des élèves de troisième année au concept des fractions serait inefficace. De la même manière, il serait totalement inefficace de demander à des élèves du secondaire de prendre position sur les questions d'éthique concernant le génie génétique en utilisant la stratégie d'« acquisition de concepts » ou l'« apprentissage coopératif ». Ces stratégies ne permettraient pas d'atteindre les objectifs visés, non pas parce qu'elles sont déficientes, mais plutôt parce que les enseignants les appliquent alors de manière inappropriée.

Les enseignants d'expérience sont à l'aise avec un grand éventail de stratégies d'enseignement et ils choisissent avec habileté la stratégie dont ils ont besoin selon la nature de la tâche d'apprentissage et selon les besoins des apprenants (Berliner, 1996). Quand elles sont exploitées à bon escient, plusieurs stratégies d'enseignement incitent les enseignants à tenir compte des divers niveaux de rendement des élèves, de leurs intérêts et de leur profil d'apprentissage. Certaines stratégies d'enseignement demandent peu de temps de réalisation et exigent peu de planification. D'autres permettent de créer un cadre de vie entièrement nouveau en classe et exigent une planification élaborée ainsi qu'une réflexion continue. En outre, les stratégies peuvent mettre l'accent sur l'organisation de la classe et le regroupement des élèves en vue de l'apprentissage ou encore sur la nature de l'enseignement lui-même.

En lisant le présent chapitre, ainsi que le suivant, portez une attention particulière aux stratégies retenues par les enseignants pour créer des classes qui favorisent un rythme de travail propice à l'apprentissage, qui proposent des défis correspondant aux besoins de chaque élève et où le mode d'apprentissage est conforme à leurs profils d'apprentissage. Les stratégies en question permettent également de susciter l'intérêt des élèves et d'accroître leur motivation.

Comme dans le chapitre précédent, les stratégies d'enseignement sont illustrées par des cas réels et sont ensuite analysées grâce aux trois questions : **Quoi différencier ?**, **Comment différencier ?** et **Pourquoi différencier ?**

Les postes de travail

Les postes de travail sont des endroits dans la classe où les élèves réalisent simultanément diverses tâches. Ils peuvent convenir à des élèves de tous âges et pour aborder une multitude de sujets. Ils peuvent servir souvent ou seulement à l'occasion au cours du processus d'apprentissage. Leur utilisation peut être formelle ou non. Une affiche, un symbole ou une couleur peut représenter chaque poste ou encore l'enseignant peut, tout simplement, demander à des élèves de se regrouper à divers endroits de la classe. (La stratégie des centres d'apprentissage est à la fois semblable et différente de celle des postes de travail ; elle est présentée au chapitre 8.)

Pour les besoins de l'enseignement différencié, les postes de travail offrent la possibilité aux élèves de travailler à différentes tâches. Cette stratégie permet une certaine souplesse du point de vue de l'organisation des sous-groupes de travail puisqu'il n'est pas toujours nécessaire que tous les élèves se retrouvent à un poste. Les élèves n'ont pas non plus besoin de passer la même période de temps à chaque poste. Et même si tous les élèves visitent chacun des postes, les tâches exécutées peuvent varier quotidiennement selon les élèves qui s'y trouvent. Les postes permettent aussi d'équilibrer les prises de décision de l'enseignant et celles des élèves. Certains jours, l'enseignant désigne les élèves qui iront à un poste, il décide de la tâche que ceux-ci effectueront et précise les conditions de travail qui seront en vigueur à ce poste. D'autres jours, ce sont les élèves qui prennent toutes ces décisions ou une partie d'entre elles.

Quatrième année : les mathématiques

Au début de l'année, madame Minor évalue les habiletés en calcul de nombres entiers de ses élèves de quatrième année. Elle propose à ses élèves des tâches de calcul plus ou moins complexes dans des contextes variés. Cela lui permet d'évaluer le degré de compétence de chaque élève et de découvrir que les niveaux de rendement de ces apprenants sont très variés ; certains élèves se situent en effet deux ou trois ans sous les attentes de ce niveau scolaire, alors que d'autres se situent deux ou trois ans au-delà de ces attentes.

Certains élèves de madame Minor éprouvent encore des difficultés avec les mathématiques de base, avec les algorithmes et avec les règles de calcul propres à l'addition ou la soustraction. Ces élèves sont complètement perdus en matière de multiplication, éprouvant même des difficultés à mémoriser les tables de multiplication. D'autres élèves ont une bonne compréhension des algorithmes et des règles de calcul propres à l'addition, la soustraction et la multiplication. Ils ont seulement besoin d'occasions supplémentaires afin d'appliquer leurs connaissances dans des situations variées. Ils sont prêts à aborder l'étude de la division. Pour d'autres élèves encore, les trois opérations de base telles que présentées dans leur manuel de mathématique ne représentent ni défi ni intérêt. En effet, plusieurs de ces élèves comprennent déjà intuitivement la division. Quelques-uns ont reçu un enseignement formel à ce sujet, ou ils ont appris de façon autodidacte à faire des divisions.

Madame Minor observe aussi le degré d'attention de chacun de ses élèves. Certains peuvent se consacrer à des tâches mathématiques pendant de longues périodes ; d'autres trouvent très difficile de le faire pendant dix minutes. Madame Minor a aussi constaté que la durée de l'attention d'un élève n'est pas toujours fonction de sa compétence.

En commençant l'année, madame Minor initie doucement ses élèves au travail dans les cinq postes qu'elle a créés dans la classe. Chaque jour, les élèves consultent un panneau perforé qui précise le titre de chaque poste et les noms des élèves qui auront à les visiter. De cette manière, les élèves savent quotidiennement à quel poste ils commenceront leur étude des mathématiques.

Le premier poste est celui de l'*enseignement.* Les élèves qui s'y trouvent reçoivent un enseignement direct de la part de madame Minor. Ils rencontrent l'enseignante près du tableau, où elle leur enseigne des notions relatives au calcul des nombres et où elle oriente leur travail. Elle laisse souvent les élèves travailler au tableau ou, deux par deux, assis sur le sol. Ils résolvent des problèmes et exercent leurs habiletés pendant qu'elle fait le tour des autres postes. En terminant, les élèves prennent note de leur travail en cochant le type de calcul qu'ils ont effectué sur une grille datée.

Le deuxième poste est celui de la *vérification.* Les élèves y utilisent du matériel de manipulation ou des dessins pour travailler leur calcul, pour expliquer leur démarche et pour faire valoir leur travail. Ce poste aide les élèves à comprendre comment les nombres et les calculs fonctionnent. Chaque élève s'attaque d'abord seul à des séries de calculs contenues dans une chemise à son nom. Il chronomètre son travail avec un sablier de cinq minutes. Ensuite, les élèves se regroupent en dyades et partagent leur travail. Chacun explique à son partenaire comment il a procédé et il justifie ses réponses. Les élèves peuvent appuyer leurs explications à l'aide de dessins, de schémas ou de manipulations. L'élève qui vient de s'exprimer est invité à trouver une autre façon de démontrer sa solution et il en discute avec son partenaire. Des aide-mémoire sont affichés au poste pour soutenir la démarche des élèves. Par exemple : « Utilise l'estimation pour démontrer que ta réponse est juste. Présente-moi un schéma ou une image qui prouve que ta façon de résoudre le problème est correcte. Utilise un damier pour t'assurer que tu as abordé convenablement le problème. » Les élèves peuvent ensuite vérifier le travail et les réponses de leur partenaire avec une calculatrice. Finalement, les élèves remplissent une fiche de vérification et l'attachent à la feuille sur laquelle leurs exercices ont été faits. Le texte de la fiche de vérification ressemble à ceci : « Aujourd'hui, moi, [*nom de l'élève*], j'ai travaillé à des problèmes utilisant [*nom du calcul*] et j'ai expliqué mes méthodes de calcul à l'aide de [*schémas, objets*]. Mon partenaire était [*nom*]. Pour vérifier mon travail, nous avons utilisé [*estimation, objets, schéma, dessins*]. Quand nous avons vérifié les résultats à l'aide de la calculatrice, la réponse était [*Bonne réponse ou Je dois réfléchir encore à cela*]. » Les élèves indiquent la date et laissent le travail ainsi que la fiche dans une boîte prévue à cet effet. Avant de quitter le poste, ils prennent note de leur travail en cochant sur une grille la date, le type de calcul auquel ils ont travaillé et la méthode qu'ils ont employée pour expliquer leur raisonnement.

Le troisième poste est celui de la *pratique*. Les élèves approfondissent ici le type de calcul pour lequel ils ont besoin de davantage d'exercice. Ils utilisent des feuilles de travail fournies par l'enseignante, des programmes informatiques ou un manuel pour acquérir de l'assurance, de la précision et de la vitesse avec un type de calcul en particulier. Ils vérifient leur travail avec un solutionnaire, une calculatrice ou un ordinateur. Ils s'autoévaluent ensuite ; une banque de mots leur est proposée pour faciliter cette tâche. Avant de quitter le poste, ils déposent leur travail, signé et daté, dans la boîte destinée à cette fin. Ils prennent note de leur travail en cochant sur une grille la date, le type de calculs qu'ils ont effectué, le nombre de problèmes qu'ils ont essayé de résoudre et le nombre de bonnes réponses obtenues.

Les élèves du quatrième poste sont affectés à des *applications mathématiques*. Ce poste est en fait la boutique d'un dénommé Fauteux, qui semble toujours avoir besoin de leur aide. Les articles offerts dans cette boutique varient souvent, tout comme les tâches confiées aux élèves. Néanmoins, les élèves abordent toujours une des facettes de la gérance d'un magasin. Ils font des achats dans la boutique tout en aidant monsieur Fauteux, qui est toujours dans le pétrin. Quelquefois, les élèves achètent par catalogue. À d'autres moments, ils décident des articles à vendre dans le magasin et ceux à commander avec un budget précis. Ils font aussi l'inventaire, regroupent les articles ou font des changements en vue d'une série d'achats. C'est amusant pour eux de se rendre à la boutique pour exécuter des tâches variées en présence du bon vieux monsieur Fauteux. La boutique permet de mettre en pratique les mathématiques dans un contexte de vie réel. En quittant la boutique, les élèves écrivent une note à monsieur Fauteux, en indiquant la date, et en lui expliquant quel problème ils ont observé, ce qu'ils ont fait pour le résoudre et ce que le brave homme doit faire pour éviter que la situation se répète dans l'avenir. Ils laissent leurs notes dans la boîte aux lettres de monsieur Fauteux.

Le cinquième poste est celui des *projets.* Ici, les élèves travaillent seuls, en dyades ou en petits groupes à la réalisation de projets à long terme qui exigent la mise en application de diverses habiletés mathématiques. La durée des projets et leur sujet varient. Quelquefois, les projets traitent de problèmes liés à la vie de la classe et portent, par exemple, sur la création d'un centre, la conception d'un nouvel aménagement de la classe ou la préparation de sondages sur les élèves et la divulgation des résultats. Quelquefois, les élèves réalisent des projets qui leur permettent d'aborder le monde des sports, de l'exploration spatiale, de la littérature ou de l'écriture. Parfois, c'est madame Minor qui suggère des idées de projets, parfois ce sont les élèves. Les projets ont un point en commun : ils permettent d'éveiller l'intérêt des élèves en établissant un lien entre les mathématiques et un domaine plus vaste. Les élèves inscrivent dans un « journal de projets » deux informations pertinentes, à deux moments précis : au début de la journée, ils résument le travail déjà fait et ils fixent les objectifs du jour, alors qu'à la fin de la journée, ils écrivent quels objectifs ont été atteints et quelles seront les prochaines étapes à accomplir. Les élèves laissent leur journal de projets dans une boîte-classeur.

Certains jours, madame Minor enseigne les mathématiques à toute la classe, elle fait de la révision, elle anime des jeux mathématiques ou elle lance des concours. Ces jours-là, aucun nom n'apparaît sur le panneau perforé. Occasionnellement, deux ou trois postes sont « fermés pour la journée ». La plupart du temps, cependant, les élèves sont affectés à un des cinq postes. Tous les élèves font le tour des cinq postes au cours d'une semaine ou sur une période de 10 jours. Les élèves ne demeurent pas nécessairement le même laps de temps à chaque poste et la séquence de fréquentation des postes change selon les élèves. Parfois, les élèves travaillent à un poste avec d'autres élèves qui sont au même niveau de rendement ; parfois, ils sont à des niveaux différents.

Madame Minor se base sur les différentes grilles-synthèses, les travaux, les journaux de projets et des évaluations périodiques formelles pour déterminer à quels postes iront les élèves. Un jour, par exemple, elle a travaillé avec six élèves au poste d'apprentissage pour réviser la multiplication des nombres à deux chiffres. Deux élèves sont restés au poste une deuxième journée et elle y a affecté deux nouveaux élèves qui maîtrisaient passablement bien la multiplication à deux chiffres, mais qui étaient absents depuis plusieurs jours. Des quatre élèves qui ont quitté le poste d'apprentissage, deux sont allés au poste de réflexion (allant rejoindre plusieurs autres dyades pour faire divers types de calculs), et deux autres sont allés au poste de pratique pour exercer le calcul de nombres à deux chiffres. Pendant ce temps, au poste des projets, huit élèves s'occupent de trois projets à long terme. Dans chacun des trois sous-groupes, il manque aujourd'hui quelques coéquipiers qui ont été envoyés à d'autres postes. Les élèves comprennent qu'il arrive que les membres d'un sous-groupe doivent travailler à d'autres postes et qu'il est normal que l'équipe ne soit pas toujours complète. Les journaux de projets permettent à tous les membres d'une équipe de suivre les progrès des uns et des autres et de poursuivre le travail.

Quoi différencier? Madame Minor différencie les contenus et les processus au poste d'apprentissage et à ceux de la vérification, de la pratique et des applications mathématiques. Tous les élèves exercent les mêmes habiletés, mais madame Minor varie les opérations à résoudre et leur niveau de difficulté pour s'ajuster aux forces et aux besoins des élèves, qu'elle évalue de manière continue. Au poste des projets, elle différencie les productions. Celles-ci varient en complexité, en durée, selon la composition du groupe, selon les habiletés requises et selon d'autres variables basées sur son évaluation continue des besoins des apprenants.

Comment différencier? Madame Minor différencie principalement en fonction du niveau de rendement des élèves, aux postes 1 à 4, en confiant des tâches semblables à des élèves de niveaux similaires. Le poste des projets regroupe souvent des élèves ayant des niveaux de rendement différents. Il met toujours l'accent sur les intérêts des élèves et il offre une grande variété de projets et de modes d'expression. Le poste des applications mathématiques (boutique de monsieur Fauteux) permet également de respecter les intérêts des élèves en variant le matériel utilisé et en proposant des problèmes qui relèvent d'un contexte de vie réel. Au poste de vérification, madame Minor différencie selon le profil d'apprentissage en offrant plusieurs approches et applications du raisonnement mathématique.

Pourquoi différencier? Les notions et les habiletés essentielles sont plus accessibles quand elles sont adaptées au niveau de rendement des élèves. La motivation des élèves est grande puisqu'ils peuvent compter sur un grand nombre d'approches, sur du matériel et des productions variés, et qu'ils peuvent régulièrement travailler avec des élèves différents. De plus, l'exploitation efficace des postes de travail rend l'enseignement et l'apprentissage optimaux. On ne pourrait en dire autant d'un enseignement magistral ou de postes de travail qui demanderaient aux élèves de consacrer un laps de temps identique à la réalisation d'une même tâche.

Autres considérations Madame Minor utilise les postes en accentuant la notion de regroupement flexible. Même au poste d'apprentissage, où les apprenants reçoivent un enseignement direct, la durée des périodes de travail est plus ou moins longue. Aux postes 2 à 4, les élèves de niveaux de rendement différents peuvent travailler au même poste, mais à différentes tâches. Aussi, puisque la rotation ne s'effectue pas selon un ordre déterminé — et parce que la durée de la tâche à un poste varie selon les besoins de chacun — , les élèves ont l'impression de faire un tas de choses différentes dans leur cours de mathématiques. Ils n'ont pas l'impression d'être dans un « cours de mathématiques », au sens traditionnel du terme. Leur perception vient du fait que, même s'ils travaillent à un endroit donné, à un moment donné, l'enseignante tient toujours compte de leurs intérêts. Par exemple, elle envoie les élèves qui aiment les sports à la boutique de monsieur Fauteux le jour où les tâches sont centrées sur la commande, la compilation de l'inventaire ou l'achat de matériel athlétique. Le fait que l'élève choisisse lui-même des projets d'applications mathématiques au poste des projets accentue en outre cette perception.

Les agendas

Un agenda est une liste personnalisée de tâches qu'un élève doit exécuter à un moment donné. Les agendas des élèves de la classe comprennent des éléments pouvant être similaires ou différents. Un enseignant prépare habituellement un agenda qui durera deux ou trois semaines. L'enseignant en crée un nouveau quand le premier est complété.

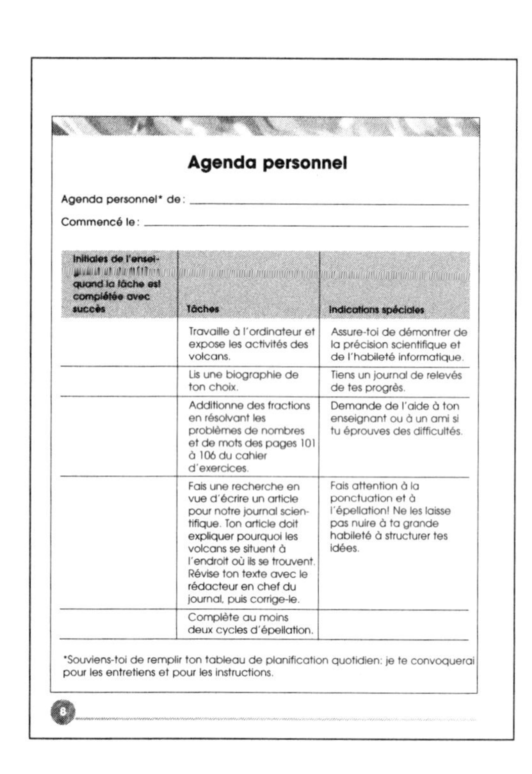

Agenda personnel

Agenda personnel* de : ______________________

Commencé le : ______________________

Initiales de l'ensei- [illegible] quand la tâche est complétée avec succès	Tâches	Indications spéciales
	Travaille à l'ordinateur et expose les activités des volcans.	Assure-toi de démontrer de la précision scientifique et de l'habileté informatique.
	Lis une biographie de ton choix.	Tiens un journal de relevés de tes progrès.
	Additionne des fractions en résolvant les problèmes de nombres et de mots des pages 101 à 106 du cahier d'exercices.	Demande de l'aide à ton enseignant ou à un ami si tu éprouves des difficultés.
	Fais une recherche en vue d'écrire un article pour notre journal scientifique. Ton article doit expliquer pourquoi les volcans se situent à l'endroit où ils se trouvent. Révise ton texte avec le rédacteur en chef du journal, puis corrige-le.	Fais attention à la ponctuation et à l'épellation! Ne les laisse pas nuire à ta grande habileté à structurer tes idées.
	Complète au moins deux cycles d'épellation.	

*Souviens-toi de remplir ton tableau de planification quotidien: je te convoquerai pour les entretiens et pour les instructions.

8

Généralement, les élèves décident eux-mêmes de l'ordre dans lequel ils traitent les sujets inscrits à l'agenda. D'ailleurs, un moment précis de la journée est réservé à l'organisation des agendas. Dans les cours de niveaux primaire et secondaire qui sont divisés en périodes, les enseignants consacrent souvent à cette planification la première partie ou la première période de la journée.

Pendant que les élèves écrivent dans leurs agendas, les enseignants sont entièrement libres de circuler, de conseiller les élèves individuellement et de vérifier leur compréhension et leurs progrès. L'enseignant peut aussi consacrer le moment réservé à l'agenda à certains élèves qui ont besoin d'être guidés dans leur travail ou qui nécessitent un enseignement direct sur un concept ou une habileté particulière. (Voir la minipage ci-contre.)

Cinquième année : des sujets variés

Le matin, quand les élèves de madame Clayter entrent en classe, ils rangent leurs manteaux et leurs livres, disent bonjour à leurs camarades de classe et se rendent à la boîte d'agendas. Après les annonces du matin, chaque élève remplit un journal de planification quotidien qui précise ses objectifs en vue de l'exécution des tâches prévues ce jour-là à l'agenda. Si un élève sait qu'il a besoin de l'aide de l'enseignante, il inscrit son nom au tableau pour solliciter un entretien. Les élèves se dirigent ensuite à divers endroits de la classe pour réaliser leurs tâches.

De nombreux élèves font seuls de la lecture, de l'écriture, des mathématiques ou des recherches indépendantes. À plusieurs endroits, les élèves se réunissent en groupes de deux ou trois, souvent sur des carpettes, pour les tâches coopératives.

Après avoir circulé pour s'assurer que tous ont commencé à travailler d'une manière concentrée et ordonnée, madame Clayter demande à trois élèves de s'asseoir par terre, avec elle, près des bibliothèques. Pendant plusieurs minutes, elle discute avec eux de la tâche qu'ils ont réalisée la veille, à l'ordinateur, en utilisant un logiciel de cartographie portant sur les volcans. Elle incite les élèves à lui dire que les graphiques qu'ils ont réalisés sont très saisissants ; elle affirme elle-même être très impressionnée. Elle leur demande ensuite de réviser les objectifs du projet ; l'un d'entre eux consiste à bien faire comprendre ce qui cause l'éruption d'un volcan. Avec les conseils de madame Clayter, les trois élèves admettent que cet objectif n'a pas été atteint. Elle les laisse rédiger un plan, qu'ils devront lui soumettre, pour s'assurer qu'ils vont atteindre tous les objectifs énoncés.

Madame Clayter va ensuite voir deux élèves qui écrivent ensemble des poèmes. Elle a réuni ces deux élèves et a mis la poésie à leurs agendas parce que chacun a quelque chose d'important à enseigner à l'autre. Jenna a une imagination très vive et elle manie ses habiletés langagières comme un pinceau pour « peindre » des images pour ses lecteurs, mais elle manque de persévérance quand vient le moment de polir son travail. Han est moins créative, en partie parce que le français est sa langue seconde. Elle a immigré alors qu'elle était en deuxième année. Han adore la poésie et elle est très méticuleuse. Les deux filles ont du plaisir à travailler ensemble et madame Clayter sait qu'elles peuvent s'aider à renforcer leurs talents respectifs. L'enseignante demande aux jeunes filles de lire leur dernier poème. Elle discute ensuite avec elles de plusieurs points forts de leur texte et elle les laisse en leur proposant deux défis auxquels elles pourront réfléchir pendant le reste du temps prévu à l'agenda.

Deux garçons qui ont besoin de travailler davantage leurs mathématiques tentent de résoudre un problème-mystère où on leur demande de choisir et d'utiliser l'opération mathématique appropriée. Les mathématiques exigées sont d'un niveau de base, mais la forme que prend le problème-mystère est stimulante et favorise l'approfondissement. Les garçons consignent les problèmes-mystères dont ils trouvent la solution pour obtenir des points leur permettant d'obtenir des certificats et des écussons en tant que détectives de mathématiques.

Quand elle crée des agendas pour les élèves, madame Clayter poursuit trois objectifs : miser sur les forces des élèves pour les aider à construire leurs savoirs, combler leurs lacunes et favoriser leur autonomie.

Elle note donc, dans l'agenda de chaque élève, des tâches qui respectent ces objectifs. Dans un cycle d'agenda de deux ou trois semaines, tous les élèves travailleront plusieurs sujets. Ils se pencheront sur des choses qu'ils aiment et sur d'autres qu'ils préféreraient éviter. Tous se fixeront des objectifs quotidiens et hebdomadaires qu'ils tenteront de respecter. Ils travailleront parfois seuls et parfois avec des pairs. En outre, chaque élève rencontrera, formellement ou non, madame Clayter, à la demande de l'un ou de l'autre, pendant le cycle de l'agenda.

Madame Clayter aime la stratégie de l'agenda, car c'est une excellente façon pour elle de tenir compte des différences entre les niveaux de prédisposition et d'intérêt et le profil d'apprentissage des élèves. À ce moment de la journée, elle soutient les élèves dans leurs apprentissages et favorise leurs progrès dans tous les domaines. Ses élèves aiment commencer la journée par cette période calme ; ils aiment aussi la variété et l'autonomie que l'agenda procure.

Quoi différencier? Madame Clayter peut différencier presque n'importe quoi en se servant de l'agenda :

- les contenus : en variant le matériel, les matières, les thématiques abordées et le degré de soutien de l'enseignante ;
- les processus ou la façon de saisir le sens : en variant le degré de difficulté des tâches de même que les manières différentes de comprendre des idées ;
- le rythme de travail : les élèves peuvent consacrer le temps nécessaire à la compréhension d'une habileté ou d'un concept en particulier ;
- les productions : en accordant du temps aux élèves pour réaliser des productions à long terme en classe, où l'enseignante peut suivre la planification, la recherche et la qualité des idées des élèves et guider leurs productions.

Comment différencier? Une fois encore, les agendas permettent une grande flexibilité pour différencier selon le niveau de prédisposition des élèves, leurs intérêts et leur profil d'apprentissage. Madame Clayter peut former des groupes aux prédispositions semblables ou différentes. Elle peut former des groupes d'élèves ayant moins d'habiletés dans un domaine particulier ou d'autres formés d'élèves qui ont depuis longtemps maîtrisé les attentes de base. Elle peut orienter certains élèves vers du matériel et des tâches qui représentent des défis à leur mesure. Elle peut varier les conditions de travail et les adapter aux modes d'apprentissage auditif, visuel ou kinesthésique. Les élèves peuvent aussi choisir les modes d'expression spatial, musical ou linguistique pour travailler seuls ou en coopération avec d'autres. Les agendas permettent aussi de s'inspirer des intérêts des élèves. Par exemple, la période réservée à l'agenda offre une occasion idéale de proposer à un élève d'aborder les fractions à l'aide de la musique, à un deuxième de le faire en échangeant des cartes de baseball et à un troisième, d'utiliser les cotes de la Bourse.

Pourquoi différencier? Même si madame Clayter est une enseignante relativement nouvelle, elle observe dans sa classe la grande variété des besoins des élèves et leurs intérêts divers. Il lui est difficile de trouver comment modifier le programme d'études de manière à différencier son enseignement dans chaque matière tout au long de la journée. Grâce à l'agenda, elle peut concentrer ses efforts de différenciation pendant un moment de la journée et malgré tout répondre efficacement à bon nombre des besoins des élèves. Elle atteint la plupart des objectifs de la différenciation en utilisant les agendas et elle y arrive en rendant sa planification plus facile à gérer.

L'enseignement complexe

L'enseignement complexe est une stratégie d'une grande richesse élaborée pour les classes hétérogènes où l'on trouve des élèves présentant divers niveaux de rendement, diverses cultures ou origines linguistiques (Cohen, 1994). L'objectif de cette stratégie est de donner à tous les élèves les mêmes occasions d'apprentissage dans un contexte offrant du matériel intellectuellement stimulant et caractérisé par de petits groupes d'enseignement. Comme la plupart des approches prometteuses, l'enseignement complexe nécessite une grande réflexion et une bonne planification.

Les résultats peuvent être immensément intéressants. L'enseignement complexe aide à construire une classe où la contribution de chaque individu est valorisée et où tous les apprenants reçoivent un haut niveau d'enseignement.

Les tâches de l'enseignement complexe:

- exigent des élèves qu'ils travaillent ensemble, en petits groupes;
- sont conçues pour faire appel aux forces intellectuelles de chaque élève du groupe;
- sont ouvertes;
- sont intrinsèquement intéressantes pour les élèves;
- sont incertaines, tout en permettant une grande variété de solutions et de manières de trouver des solutions;
- comprennent de vrais objets;
- fournissent du matériel et de l'enseignement dans plusieurs langues (si les élèves de la classe représentent différents groupes linguistiques);

- intègrent la lecture et l'écriture en tant que moyens importants d'atteindre un objectif souhaité ;
- font appel à plusieurs types d'intelligence, comme dans la vie de tous les jours ;
- utilisent les multimédias ;
- exigent de nombreux talents pour être réussies.

Un enseignement complexe efficace :

- n'a pas de réponse unique ;
- ne permet pas d'être complété plus efficacement par un ou deux élèves que par tout le groupe ;
- ne reflète pas une réflexion de bas niveau ;
- n'inclut pas de mémorisation ni d'apprentissage routinier.

Les enseignants qui pratiquent habilement l'enseignement complexe circulent de groupe en groupe pour questionner les élèves sur leur travail, mettant ainsi leur pensée à l'épreuve et facilitant leur compréhension. Plus tard, ils délèguent de plus en plus d'autorité aux élèves, les plaçant véritablement au cœur de leur apprentissage. Ils apportent ensuite leur soutien aux élèves afin qu'ils développent les habiletés nécessaires à la gestion de cette autorité.

Cette stratégie permet aux enseignants de s'acquitter de deux autres rôles importants : la découverte des forces intellectuelles des élèves et « l'assignation d'un statut ». Cohen (1994) dit que les groupes coopératifs traditionnels échouent souvent parce que les élèves savent qui est « bon à l'école » et qui ne l'est pas. Ceux qui sont compétents se voient confier les tâches cruciales du groupe ou ils en prennent la responsabilité. Ceux qui ne sont pas « bons à l'école » abandonnent ou se sont soustraits de la responsabilité de réussir les tâches. Selon Cohen, cela vient du fait que de nombreuses tâches scolaires dépendent, en grande partie, de l'encodage de l'information, du décodage, du calcul et de la mémorisation. Ces choses deviennent, dans l'esprit des enseignants et des élèves, synonymes du succès à l'école.

L'enseignement complexe recherche des tâches qui font appel, dans une plus large mesure, aux habiletés intellectuelles telles que faire naître des idées, poser des questions d'approfondissement, représenter symboliquement des idées, utiliser le rythme pour interpréter ou exprimer des idées, faire des hypothèses ou planifier. Les enseignants évaluent continuellement les élèves pour découvrir leurs forces individuelles. Ils conçoivent ensuite des tâches d'enseignement complexe qui font appel aux capacités des élèves.

Dans « l'assignation d'un statut », les enseignants recherchent les moments-clés où, dans un travail en équipe, un élève fait un commentaire ou une suggestion valable (souvent un moment qui n'est pas perçu comme « réussi » par ses pairs). L'enseignant dit alors au groupe qu'il a entendu ce que l'élève a dit et pourquoi il croit que cela représente une contribution valable au travail de tout le groupe. Les élèves commencent à considérer leurs pairs sous un autre jour. Ils commencent aussi à acquérir un vocabulaire qui reflète une grande variété de forces intellectuelles. Finalement, en présentant les tâches d'enseignement complexe à la classe, l'enseignant incite les élèves à dresser une liste variée de tâches intellectuelles qui sont nécessaires pour réussir leur travail. Cela les aide à comprendre que chaque individu possède des forces intellectuelles, mais qu'aucun ne les possède toutes.

Dixième année : l'anglais

Dans la classe de dixième année de madame McCleary, les élèves étudient comment la vie et l'écriture d'un écrivain sont souvent intimement liées. Cette année, ils ont lu divers types de textes, poésie incluse, en s'appuyant sur l'idée que l'écriture est « un miroir et une métaphore », c'est-à-dire qu'ils devaient explorer l'idée qu'un texte peut devenir la métaphore d'une idée plus vaste et qu'il permet aux lecteurs d'utiliser ce « miroir » pour mieux se comprendre ou analyser le monde qui les entoure. Les élèves ont récemment rédigé un texte autobiographique dans lequel ils ont fait un schéma qui présente les événements ayant le plus contribué à modeler leur vie jusque-là.

Aujourd'hui, les élèves de madame McCleary ont commencé une tâche d'enseignement complexe. Ils travailleront en petits groupes durant quatre ou cinq périodes, partageant ce qu'ils ont appris avec tous les autres groupes pendant une période additionnelle. Pour cette tâche, le travail à la maison est centré sur les activités du groupe. Cette tâche sera un élément essentiel de l'évaluation à la fin de la période de notation. Chaque groupe reçoit une fiche de suivi qui se lit comme suit :

> Nous avons étudié comment la vie d'un écrivain (et la nôtre) est souvent une métaphore qu'il crée (que nous créons) en posant des gestes et des actions — y compris l'écriture. Nous avons aussi regardé comment les bons auteurs proposent un miroir aux lecteurs, leur permettant de refléter leur propre vie et leurs sentiments.
>
> Robert Frost a écrit un poème intitulé *The Road not taken.* Votre tâche consiste à analyser ce poème en tant que métaphore de la vie de Frost et en tant que miroir de votre propre vie. Pour ce faire, vous devez :

1. Vous procurer une copie de ce poème, le lire, l'interpréter et arriver à un consensus en équipe concernant ce qui se produit dans le poème et ce que cela veut dire.

2. Faire une recherche sur la vie de Frost et créer un schéma semblable à celui que vous avez créé pour votre propre vie, plus tôt ce mois-ci.

3. Créer une ambiance sonore qui nous transporte en promenade dans les bois avec Frost. Utilisez de la musique, des sons, des effets sonores ou encore du mime, de la sculpture corporelle ou de la narration afin d'aider votre auditoire à comprendre les émotions qu'un « promeneur dans les bois » ressentira quand il arrivera à des endroits simples, à des points de repère ou à des carrefours. Vous devez aussi rédiger un script de votre présentation.

4. Comparer des événements de la vie de Frost et le récit de son poème en utilisant des mots et des images qui représentent la relation métaphorique entre les deux.

5. Transposer les idées-clés du poème dans la vie et l'expérience d'une personne célèbre que nous connaissons peu, mais que nous pourrions connaître mieux. Votre « transposition » doit démontrer clairement le lien entre la personne et le poème ; vous devez communiquer clairement à vos camarades de classe la manière dont la littérature nous aide à nous comprendre nous-mêmes.

6. Vous assurer que vos productions démontrent votre compréhension des concepts de la métaphore et du miroir, la relation entre les diverses formes d'art permettant de communiquer le sens de la vie ainsi que des détails sur les gens et le poème avec lesquels vous travaillez.

   Comme d'habitude, vous devez assigner les rôles suivants aux membres de votre équipe : un animateur, un responsable du matériel, un secrétaire et un gardien du temps.

   Assignez les rôles de façon à faciliter la réalisation de votre travail. Souvenez-vous que chacun a une force qui contribue au succès du groupe ; personne n'a toutes les forces nécessaires. Puisque votre temps est compté, vous devriez d'abord écrire un plan de travail, en y incluant un horaire et des moments réservés aux réunions en groupe. Finalement, préparez les critères d'évaluation de votre travail (incluant les éléments imposés ainsi que la perception que votre groupe a d'une présentation de grande qualité). Votre groupe disposera d'un maximum de 20 minutes pour faire sa présentation à un autre groupe et de 10 minutes de plus pour une période de questions.

Quoi différencier? Madame McCleary peut profiter de cette période d'enseignement complexe pour différencier les contenus en fournissant des livres de divers niveaux de lecture et dans diverses langues ainsi que des vidéos, de la musique et d'autres ressources. Elle y parvient en s'assurant que tous les élèves concentrent leur attention sur la même compréhension essentielle. Elle différencie les processus en divisant la tâche en plusieurs étapes qui permettent aux élèves de comprendre les idées de plusieurs manières. Ici, la différenciation des productions (la présentation de 20 minutes) est réalisée parce que les élèves se « spécialisent » dans une facette d'un projet plus vaste.

Comment différencier? Madame McCleary différencie selon le niveau de rendement des élèves grâce à l'usage de matériel varié; elle différencie en fonction des intérêts grâce au choix de biographies; enfin, elle différencie selon le profil d'apprentissage grâce aux recherches et à l'expression qui respectent les différents types d'intelligence. Il serait aussi important, pour différencier en fonction du profil d'apprentissage, de fournir du matériel didactique et des instructions en plusieurs langues, si la langue maternelle de certains élèves est différente de la langue d'enseignement.

Pourquoi différencier? Madame McCleary a favorisé la différenciation des apprentissages et des modes d'expression en misant sur les efforts d'un groupe et non sur les efforts individuels. Elle veut que les élèves qui ont des niveaux de prédisposition, des intérêts et des profils d'apprentissage différents travaillent ensemble de manière à mettre chacun en valeur. Elle a donc choisi des groupes hétérogènes et s'est donné beaucoup de mal pour répondre, dans ce contexte, aux besoins des individus et assurer leur succès.

Les études orbitales

Chris Stevenson (1992, 1997) soutient que les « études orbitales » représentent une stratégie idéale pour s'attaquer aux points communs et aux différences entre les apprenants du début du secondaire. En fait, la stratégie semble s'adapter facilement aux apprenants de tous les niveaux. Une étude orbitale est une recherche indépendante qui dure généralement de trois à six semaines. Elle est « en orbite » ou tourne autour d'une des facettes du programme d'études. Les élèves choisissent leurs propres sujets d'études orbitales puis, guidés et encadrés par l'enseignant, ils acquièrent une plus grande expertise sur ce thème tout en développant leurs habiletés de chercheurs.

Les études orbitales sont basées sur le principe que tous les apprenants éprouvent de la fierté à construire et à partager des connaissances et des habiletés. Cette stratégie n'est pas très différente du système de badges de mérite attribués aux scouts, sauf que les élèves approfondissent leurs propres sujets plutôt que de les choisir sur une liste imposée et que les sujets sont liés au programme d'études. Stevenson (1992) propose que les premières listes de sujets potentiels soient tirées de sondages d'intérêts menés auprès des élèves et de suggestions de parents ou de mentors.

Sixième année : des sujets variés

Les élèves de sixième année de l'école Hand Middle aiment les études orbitales parce qu'elles sont intéressantes et qu'elles leur permettent d'être autonomes. Les enseignants aiment aussi les études orbitales parce qu'elles aident à intégrer le programme tout en permettant l'observation des apprenants au travail dans les domaines où ils sont forts et qui les intéressent.

Les enseignants de sixième année ont conçu une brochure qui explique aux élèves et aux parents ce que sont les études orbitales, leur importance et leur fonctionnement. La brochure sert de base de discussion dans toutes les classes à l'automne, quand les études orbitales commencent. Au même moment, les parents en reçoivent un exemplaire à la maison. La brochure décrit les caractéristiques générales des études orbitales :

- Une étude orbitale est centrée sur un sujet intéressant pour les élèves, et en relation avec certaines facettes du programme.
- Un élève peut travailler à une étude orbitale pendant trois à six semaines.
- Les enseignants aident les élèves à poser une question de départ claire, à préparer un plan de recherche, à planifier une méthode de présentation et à définir des critères de qualité.
- Pour réussir une étude orbitale, il faut tenir un journal précisant le temps consacré à l'étude, les ressources consultées ainsi que les idées et les habiletés acquises au cours de l'étude. Il faut aussi que les élèves écrivent une synthèse de la matière apprise afin que l'enseignant la révise. L'élève doit faire une présentation de 10 à 20 minutes, à au moins 5 de ses pairs, en leur fournissant un document d'une page et en faisant une exposition ou une démonstration. L'élève doit aussi trouver un moyen d'obtenir des réactions de ses pairs sur le contenu et la présentation.

Pendant l'année, les enseignants travaillent avec des individus ou avec de petits groupes pour les aider à choisir un sujet et à se concentrer sur celui-ci, pour les aider à tenir un journal, à trouver et à utiliser des ressources documentaires (incluant des imprimés, des documents informatisés et des personnes-ressources), à planifier leur temps efficacement, à constater les progrès par rapport à des critères préétablis, à faire des présentations orales réussies et à sélectionner les meilleures idées pour y parvenir. Les enseignants proposent ces mini-ateliers de travail à de petits groupes d'élèves qui ont du temps disponible quand leur tâche est complétée et à des individus qui ont besoin de soutien pour leurs études orbitales.

Tous les enseignants du cycle assument la responsabilité d'aider les élèves à planifier, à faire des recherches, à gérer leur temps et à faire des présentations. Ils servent aussi de conseillers pour des études orbitales qui font partie de leurs domaines d'intérêt ou d'expertise. Par exemple, un enseignant de mathématiques peut être un amateur de science-fiction et un enseignant d'anglais peut très bien connaître le jazz. Les élèves apprécient que des enseignants qui ont des intérêts et des habiletés dans des domaines où ils n'enseignent pas puissent les partager avec eux.

Un élève invite un enseignant à être son conseiller. L'enseignant accepte généralement l'invitation, sauf s'il n'est pas disponible parce qu'il doit déjà donner beaucoup de consultations à ce moment-là. Dans ce cas, l'enseignant suggère à l'élève de rencontrer un autre membre de l'équipe d'enseignants. Les membres de cette équipe déploient un effort particulier pour montrer aux élèves comment les études orbitales peuvent faire le lien entre ce qu'ils apprennent en classe et leurs propres talents et domaines d'intérêts. Ils aident aussi les élèves à comprendre comment les études orbitales peuvent permettre d'intégrer divers sujets et de faire le lien entre les matières. Parce que les sujets sont personnalisés et motivants, et parce que les élèves ont beaucoup de soutien de la part des enseignants, une étude orbitale peut être menée pendant presque toute l'année scolaire. Les élèves doivent terminer avec succès au moins une étude orbitale par année, mais on les incite à en faire plusieurs.

Aujourd'hui, Takisha travaille à une peinture murale portant sur des héroïnes et des héros méconnus. Cette activité lui permet de concilier sa passion pour l'art et le portrait avec l'étude de l'histoire de son pays. Elle recherche des héroïnes et des héros méconnus de race et d'âge différents. Sa murale reflétera sa recherche. Son sens du théâtre l'a inspirée et elle a écrit une narration qu'elle enregistrera elle-même pour accompagner la peinture murale.

Jesse construit une fusée, ce qui exige de lui qu'il approfondisse ses connaissances en sciences et en mathématiques. Il exerce aussi ses habiletés manuelles, qu'il n'a pas assez souvent l'occasion de pratiquer à l'école.

Jake et Ellie créent une bande dessinée où se retrouvent les éléments-clés de la littérature. Cela leur permet aussi d'élaborer une intrigue de science-fiction, leur passion commune.

Lexie pratique son jeu au tennis dans un parc situé près de l'école. Ce prolongement des cours d'éducation physique lui permet de travailler avec un élève de huitième année qui s'est porté volontaire pour l'aider à améliorer son service et ses coups. Les cours sont enregistrés sur vidéo par deux de ses amis ou par son père, selon les disponibilités de chacun. Elle compare ses vidéos avec ceux de professionnels (fournis par son enseignant d'éducation physique). Elle fera finalement part de ce qu'elle a appris à ses pairs qui s'intéressent aussi au tennis.

David est passionné par le soccer. Il a choisi de faire l'étude des pays dont l'équipe de soccer a été championne de la Coupe du monde. C'est un prolongement de ses cours de géographie et culture.

Louis étudie les cuisines étrangères, ce qui établit un lien avec ses cours de géographie et culture. Il trouve aussi important d'apprendre à cuisiner pour pouvoir recevoir des amis quand il sera plus âgé et qu'il aura son propre appartement. Entre-temps, il cuisine pour sa famille et ses amis, et il crée son propre livre de recettes. D'autres élèves travaillent à des sujets aussi variés que la superstition, la musique en Amérique coloniale, les jeux pédagogiques pour jeunes enfants et l'évolution du baseball pendant le siècle dernier.

Beaucoup d'études orbitales sont achevées à la maison. Toutefois, des périodes en classe sont allouées aux recherches et aux habiletés liées aux études orbitales. Les élèves savent que, quand une tâche est terminée, ils peuvent consacrer le temps qui reste à leurs études orbitales. Dans une des classes, un vendredi sur deux, les élèves présentent les études orbitales qu'ils ont terminées. Les autres élèves peuvent s'inscrire pour assister à la présentation d'une étude orbitale qui les intéresse, comme les adultes s'inscrivent à des conférences tenues lors d'un congrès. Tous ceux qui sont présents expriment leur appréciation et leurs réactions à ceux qui font la présentation. Pendant ce temps-là, les élèves qui n'assistent pas à la présentation peuvent poursuivre leurs projets, mettre à jour un travail ou demander l'aide d'un camarade de classe pour certains travaux.

Certains endroits de la classe sont réservés et aménagés pour la présentation d'études orbitales. D'autres sont réservés et aménagés pour que des individus ou des pairs puissent y travailler en silence. Si un des élèves n'a pas de plan pour cette période de classe, l'enseignant lui donne une tâche pertinente. Quand plusieurs études orbitales sont prêtes, deux classes sont réservées aux présentations.

Après avoir lu et révisé individuellement les présentations des études orbitales, les enseignants examinent en équipe les résumés. Ils se concertent tous pour faire des liens entre ce que les élèves apprennent pendant leurs études orbitales et ce qu'ils continuent d'apprendre en classe. Lorsqu'ils ratent un lien — ou même avant qu'ils l'aient saisi —, les élèves n'hésitent pas à le leur rappeler.

Quoi différencier? Les études orbitales favorisent la différenciation des contenus (parce que les élèves choisissent eux-mêmes leurs sujets et leur matériel de recherche), des processus (parce que les élèves élaborent eux-mêmes leurs plans d'études), et des productions (parce que les élèves ont le choix parmi de nombreuses possibilités pour exprimer leur apprentissage). Les études orbitales permettent de différencier les contenus, les processus et les productions parce que ce sont les élèves et non les enseignants qui font les choix. Les enseignants jouent cependant un rôle actif en guidant les élèves pour qu'ils comprennent bien, se préparent adéquatement et fassent une présentation réussie.

Comment différencier? Les études orbitales sont orientées sur les intérêts de l'élève (choix de sujets et de modes d'expression de l'apprentissage) et sur le profil d'apprentissage (possibilités de choisir les conditions de travail et de respecter les types d'intelligence). Encore une fois, l'enseignant aide les élèves à faire des choix, à progresser et à produire des résultats de qualité.

Pourquoi différencier? Les élèves sont stimulés quand le processus d'apprentissage leur appartient et quand on leur donne des occasions de réussite. Les études orbitales permettent aux élèves de choisir ce qu'ils veulent étudier et la façon de faire part de ce qu'ils ont appris. Les études orbitales permettent aussi aux enseignants d'aider systématiquement les apprenants à devenir plus autonomes dans leur apprentissage. Comme c'est souvent le cas, pour ne pas dire toujours, lors de la différenciation des apprentissages, l'objectif de l'enseignant est de respecter le niveau de connaissance et de compréhension que l'élève a atteint, de lui permettre d'exprimer sa pensée, de le guider pour la planification du travail et pour la présentation de sa production, et ce, en visant le dépassement de soi et la réussite de chacun.

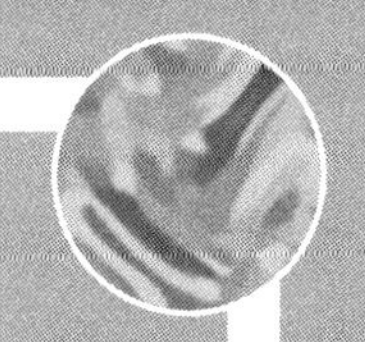

CHAPITRE 8

D'autres stratégies d'enseignement pour soutenir la différenciation

Plusieurs stratégies permettent aux enseignants de prêter attention aux besoins des individus ou des petits groupes. Elles se distinguent des stratégies qui incitent les enseignants à considérer tous les apprenants comme s'ils avaient le même niveau de rendement, les mêmes intérêts et modes d'apprentissage. Au chapitre 7, nous avons étudié les postes de travail, les agendas et l'enseignement complexe comme des outils facilitant la différenciation. Dans ce chapitre, nous étudierons en profondeur les centres d'apprentissage et d'intérêt, les points de départ, les activités par échelons et les contrats d'apprentissage. De plus, nous aborderons la compression, l'apprentissage basé sur les problèmes, les recherches en groupe, les études indépendantes, les tableaux à choix multiples, les quatre formes d'apprentissage et l'élaboration des portfolios. Ces différentes stratégies inspireront l'enseignant qui veut mettre l'accent sur les besoins des individus ou des petits groupes dans le cadre d'un enseignement donné à l'ensemble de la classe.

Les centres d'apprentissage et les centres d'intérêt

Depuis de nombreuses années, les enseignants utilisent les centres d'apprentissage et les centres d'intérêt, probablement parce que ceux-ci offrent assez de souplesse pour satisfaire divers besoins d'apprentissage. Les centres diffèrent des postes de travail (voir le chapitre 7). Un enseignant peut créer différents centres, par exemple pour les sciences, l'écriture ou les arts. Toutefois, les élèves n'ont pas besoin de fréquenter tous les centres pour devenir compétents dans une matière ou acquérir une série d'habiletés. Au chapitre 7, nous avons présenté un exemple illustrant l'utilisation des postes dans une classe de mathématiques. Tous les élèves faisaient le tour des postes pour assimiler des concepts et des habiletés en mathématiques. Ces postes étaient reliés de façon différente des centres.

Les enseignants définissent et utilisent les centres de différentes manières. Deux types de centres se prêtent très bien à l'enseignement différencié : les centres d'apprentissage et les centres d'intérêt. Cette section donne des définitions et sert de guide pour créer ces deux types de centres. Toutefois, les enseignants peuvent adapter ces suggestions pour mieux répondre à leurs besoins et à ceux de leurs élèves.

Un *centre d'apprentissage* est une partie de la classe réservée à certaines activités ou à du matériel permettant d'enseigner, de renforcer ou d'approfondir la maîtrise d'une habileté ou d'un concept (Kaplan, Kaplan, Madsen et Gould, 1980). Un *centre d'intérêt* est conçu pour encourager l'étude de sujets pour lesquels les élèves éprouvent un intérêt particulier.

En général, les centres doivent :

- se concentrer sur des objectifs d'apprentissage importants ;
- contenir du matériel qui facilite le progrès individuel des élèves vers l'atteinte de ces objectifs ;
- offrir du matériel et des activités correspondant à plusieurs niveaux de lecture, profils d'apprentissage et champs d'intérêt des élèves ;
- proposer des activités simples et complexes, concrètes et abstraites, structurées et ouvertes ;
- donner des directives claires aux élèves ;
- indiquer aux élèves comment obtenir de l'aide ;
- préciser clairement aux élèves ce qu'ils doivent faire quand ils terminent un travail à un centre ;
- prévoir la tenue d'un registre permettant d'assurer le suivi du travail des élèves et la qualité de celui-ci ;
- comporter un plan d'évaluation continue des progrès des élèves de façon générale, ce qui permet de modifier les tâches présentées dans les différents centres.

Les enseignants discutent avec les élèves de la matière à étudier et de la façon de procéder. Néanmoins, ce sont les enseignants qui, le plus souvent, déterminent les tâches à effectuer et le matériel à utiliser dans les centres d'apprentissage. Les enseignants choisissent les tâches et le matériel dans le but de permettre aux élèves d'acquérir et de maîtriser des connaissances ou des habiletés particulières. Ces outils de travail sont plus exploratoires que ceux qui servent dans le cadre d'autres travaux.

Des classes multiâge et le thème des dinosaures

Madame Hooper enseigne à une classe d'élèves d'âges différents de deuxième et de troisième année. Comme la majorité des élèves du primaire, ils sont fascinés par les dinosaures. Madame Hooper veut stimuler leur curiosité naturelle, mais elle désire aussi exploiter ce sujet pour les aider à comprendre des concepts scientifiques comme les systèmes, la classification, l'adaptation et le changement.

Par exemple, l'ensemble de la classe écoute une histoire ou regarde une vidéo sur les dinosaures. Les élèves discutent de ce qu'une image ou un squelette de dinosaure peut révéler s'ils réfléchissent comme des scientifiques, puis ils classifient les dinosaures à partir d'un tableau de classification. Madame Hooper utilise aussi le centre de sciences pour s'assurer que les élèves mettent en pratique individuellement les concepts et les habiletés-clés. Pendant les deux semaines suivantes, les élèves fréquentent le centre d'apprentissage ; ils y travaillent comme des paléontologues afin d'analyser divers artéfacts provenant des dinosaures. Ils doivent expliquer comment les dinosaures s'adaptaient à leur environnement. Cependant, des élèves d'âges différents présentent des variations dans le raffinement de la pensée et les habiletés de lecture. Les connaissances acquises et l'intérêt porté aux dinosaures peuvent aussi différer.

Le centre d'apprentissage met à la disposition des élèves des figurines de dinosaures en plastique, des photos et des fossiles d'os, de dents, de peau ou d'empreintes de pattes ainsi que des répliques de squelettes de dinosaures. On y trouve aussi des livres de lecture, des livres à colorier de silhouettes de dinosaures, du matériel artistique et du matériel pour écrire. À partir de fiches ou d'un enregistrement sur magnétophone, l'élève prend connaissance des directives. Les élèves savent qu'ils doivent aller au centre quand ils voient leur nom sur un tableau intitulé « Paléontologues du jour ».

Les directives de cette semaine demandent aux élèves d'ouvrir une boîte contenant plusieurs artéfacts. À côté de la boîte, sur une planchette à pince, une feuille indique : « Je peux penser comme un paléontologue. » L'élève écrit son nom sur la feuille et répond aux questions en examinant les artéfacts contenus dans la boîte et en réfléchissant à leur sujet. Les élèves se rendent au centre plusieurs fois durant les deux semaines. Ils ont aussi la possibilité de fréquenter le centre quand il est fermé et qu'ils ont du temps libre. Les élèves qui travaillent à des tâches de base au début des deux semaines peuvent compléter ultérieurement des tâches que des élèves plus avancés ont terminées auparavant.

Parmi les paléontologues en visite aujourd'hui, il y a Gina, qui a presque neuf ans, et Jordan, qui vient d'avoir sept ans. Tous les deux ont de la difficulté à lire et, en ce moment, ils ont besoin de tâches d'apprentissage très structurées. Leur boîte d'artéfacts contient deux types de dents et trois figurines de dinosaures en plastique. Ils doivent étudier les dents et découvrir ce que les dinosaures mangeaient. Ensuite, ils étudient les jambes, le cou et les pattes des deux figurines, puis ils expliquent ce que ces éléments leur suggèrent (une partie de leur feuille de tâches est présentée dans les minipages de la page suivante.) Finalement, ils choisissent une autre figurine et disent ce que ses caractéristiques leur indiquent. Le magnétophone guide leurs lectures s'ils choisissent de l'utiliser. De plus, pour que Gina et Jordan profitent d'un soutien additionnel, madame Hooper les a choisis tous les deux pour qu'ils travaillent ensemble.

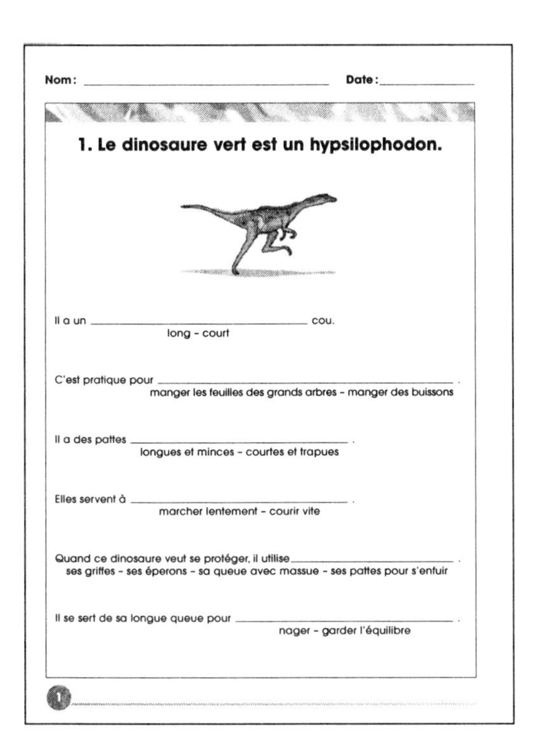

Nom : ______________________ Date : __________

1. Le dinosaure vert est un hypsilophodon.

Il a un ______________________ cou.
long - court

C'est pratique pour ______________________ .
manger les feuilles des grands arbres - manger des buissons

Il a des pattes ______________________ .
longues et minces - courtes et trapues

Elles servent à ______________________ .
marcher lentement - courir vite

Quand ce dinosaure veut se protéger, il utilise ______________________ .
ses griffes - ses éperons - sa queue avec massue - ses pattes pour s'enfuir

Il se sert de sa longue queue pour ______________________ .
nager - garder l'équilibre

1

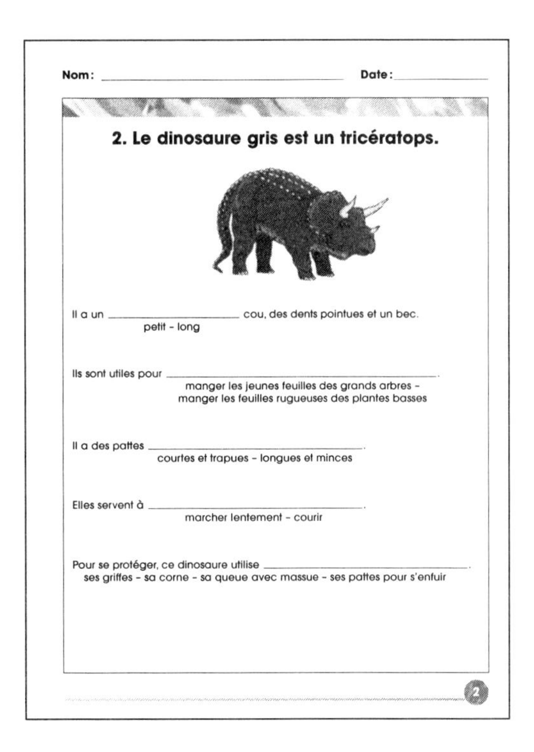

Nom : ______________________ Date : __________

2. Le dinosaure gris est un tricératops.

Il a un ______________ cou, des dents pointues et un bec.
petit - long

Ils sont utiles pour ______________________ .
manger les jeunes feuilles des grands arbres -
manger les feuilles rugueuses des plantes basses

Il a des pattes ______________________ .
courtes et trapues - longues et minces

Elles servent à ______________________ .
marcher lentement - courir

Pour se protéger, ce dinosaure utilise ______________________ .
ses griffes - sa corne - sa queue avec massue - ses pattes pour s'enfuir

2

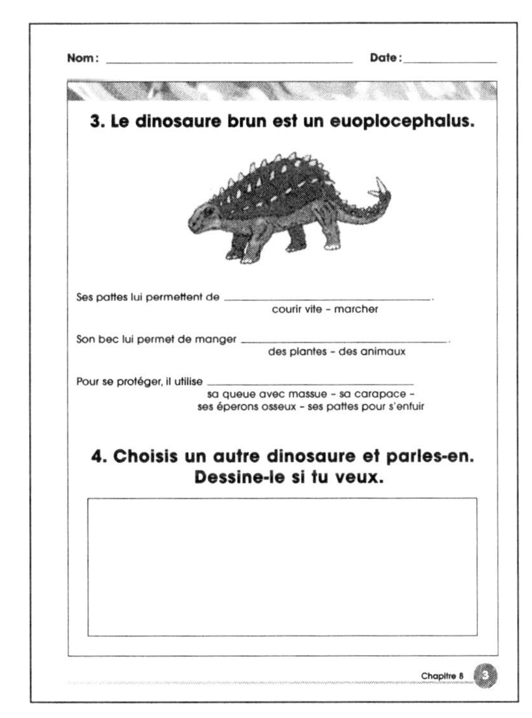

Nom : ______________________ Date : __________

3. Le dinosaure brun est un euoplocephalus.

Ses pattes lui permettent de ______________________ .
courir vite - marcher

Son bec lui permet de manger ______________________ .
des plantes - des animaux

Pour se protéger, il utilise ______________________
sa queue avec massue - sa carapace -
ses éperons osseux - ses pattes pour s'enfuir

**4. Choisis un autre dinosaure et parles-en.
Dessine-le si tu veux.**

Chapitre 8 3

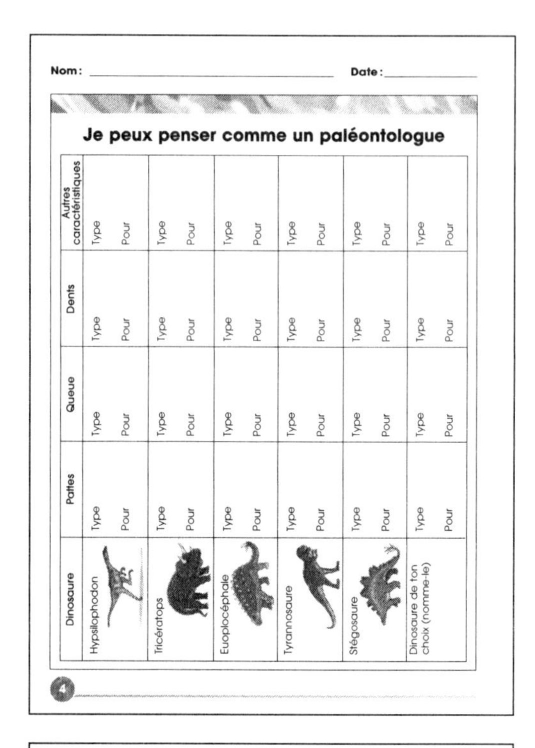
Nom : ____________ Date : ____________

Je peux penser comme un paléontologue

Dinosaure	Pattes	Queue	Dents	Autres caractéristiques
Hypsilophodon	Type Pour	Type Pour	Type Pour	Type Pour
Tricératops	Type Pour	Type Pour	Type Pour	Type Pour
Euoplocéphale	Type Pour	Type Pour	Type Pour	Type Pour
Tyrannosaure	Type Pour	Type Pour	Type Pour	Type Pour
Stégosaure	Type Pour	Type Pour	Type Pour	Type Pour
Dinosaure de ton choix (nomme-le)	Type Pour	Type Pour	Type Pour	Type Pour

4

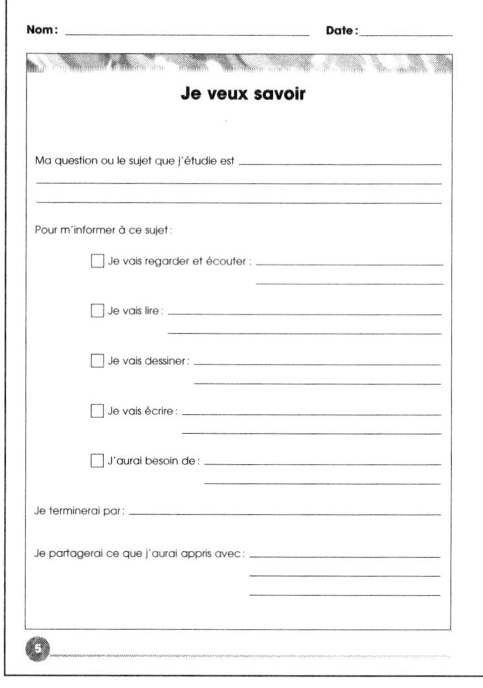
Nom : ____________ Date : ____________

Je veux savoir

Ma question ou le sujet que j'étudie est ____________

Pour m'informer à ce sujet :

☐ Je vais regarder et écouter : ____________

☐ Je vais lire : ____________

☐ Je vais dessiner : ____________

☐ Je vais écrire : ____________

☐ J'aurai besoin de : ____________

Je terminerai par : ____________

Je partagerai ce que j'aurai appris avec : ____________

5

Un autre jour, Mishea, huit ans, et Carla, qui a encore six ans, s'affairent à une tâche similaire. Leur travail est conçu en fonction de leurs habiletés de lecture et de classification avancées ainsi que de leurs vastes connaissances au sujet des dinosaures. Les directives sont toujours disponibles sur le magnétophone. Leur boîte d'artéfacts contient des fossiles de squelettes, d'os et de dents. L'enseignante a inclus plusieurs illustrations de dinosaures avec leur nom. Eux aussi doivent examiner les artéfacts pour découvrir comment les dinosaures s'adaptaient. Une partie de leur feuille de tâches (voir la minipage ci-contre) montre clairement que leur travail est plus complexe et moins structuré.

Madame Hooper utilise aussi le centre d'apprentissage sur les dinosaures pour encourager les élèves à enrichir et à augmenter leur compréhension des sujets liés à leurs autres sujets d'étude. Les élèves peuvent signer pour aller au centre pendant les périodes de temps libre, mais ils ne sont pas obligés de le faire. Ils peuvent aussi choisir de travailler seuls ou avec un partenaire. L'enseignante propose de nombreuses tâches dans ce centre. Elle offre aussi une grande variété de matériel artistique, d'imprimés et de vidéos très utiles pour effectuer les tâches. Les élèves peuvent concevoir leurs propres tâches en remplissant un formulaire « Je veux savoir » qu'ils présentent à leur enseignante (voir la minipage ci-contre).

Parmi les tâches affichées au centre d'intérêt cette semaine, on trouve celles-ci :

- Découvre comment les iguanes ressemblent aux dinosaures et fais un dessin comparatif.
- Lis au sujet des dragons chinois. Ensuite, poursuis tes lectures au sujet d'autres créatures mythologiques qui sont peut-être inspirées par les dinosaures. Fais part de ce que tu as appris à la classe.
- Construis un squelette de dinosaure avec de la glaise et des os de poulet pour montrer comment le dinosaure s'est adapté à son environnement.
- Trouve trois causes qui, selon les scientifiques, ont provoqué l'extinction des dinosaures.
- Trouve des reptiles d'aujourd'hui qui sont parents avec les dinosaures. Fais des dessins ou des maquettes pour les comparer avec les dinosaures.
- Décris le travail d'un paléontologue, ce qu'il fait et quel genre de formation il doit avoir suivi.

Quoi différencier? Au centre d'apprentissage, madame Hooper différencie le matériel (une partie du contenu) tout en s'assurant que les élèves étudient des concepts et des habiletés essentielles. Elle distingue aussi les processus puisqu'elle conçoit des activités présentant des niveaux différents de complexité. Au centre d'intérêt, madame Hooper différencie les contenus en offrant aux élèves le choix du sujet qu'ils veulent étudier. Elle distingue les processus en variant les manières d'apprendre et différencie les productions en offrant aux élèves différentes options pour présenter ce qu'ils ont appris.

Comment différencier? Le centre d'apprentissage permet à madame Hooper de différencier l'enseignement en fonction du niveau de rendement de l'élève; en effet, elle varie la complexité des ressources et des tâches en fonction du point de départ de l'élève. Les centres d'intérêt sont axés sur une gamme d'intérêts des élèves, ce qui leur donne la possibilité de choisir leurs propres sujets. Dans le centre d'apprentissage et le centre d'intérêt, l'enseignante peut tenir compte des différents profils d'apprentissage. Elle fait travailler les élèves seuls ou avec des camarades et leur donne des directives visuelles et sonores. De plus, elle leur fournit des ressources qui contribuent à accroître leurs compétences au point de vue kinesthésique, visuel, spatial et linguistique.

Pourquoi différencier? Dans une classe multiâge d'enseignement primaire, l'âge et le niveau de rendement des élèves peuvent varier. En outre, les connaissances de base, les intérêts et le profil d'apprentissage, bien qu'ils soient évidents, ne changent pas nécessairement selon l'âge ou le niveau scolaire. En faisant travailler les élèves ensemble, seuls ou en petits groupes, l'enseignante crée des communautés d'apprentissage et tient compte des besoins individuels. Elle peut assigner les mêmes tâches dans un centre d'apprentissage, mais à des moments différents, ce qui facilite la planification. L'enseignante favorise aussi la progression des élèves. De plus, elle crée un équilibre entre les choix des élèves et ses propres choix. Au départ, c'est l'enseignante qui détermine les centres d'apprentissage que les élèves doivent fréquenter, mais les élèves peuvent choisir d'y retourner. Par la suite, les élèves prennent eux-mêmes l'initiative de leur participation au centre d'intérêt.

Les points de départ

Howard Gardner (1993) a beaucoup contribué à souligner les variations quant aux préférences et aux forces de l'intelligence des élèves. Grâce à sa recherche continue sur les intelligences multiples, les éducateurs ont pris conscience du fait qu'un enfant doté d'une intelligence spatiale comprend l'information, résout des problèmes et exprime ses apprentissages d'une manière différente d'un autre enfant dont l'intelligence est verbo-linguistique. Même si Gardner affirme que les intelligences sont interreliées chez une même personne, d'importantes différences existent entre elles. Les enseignants peuvent faciliter le processus d'apprentissage en tenant compte de ces différences lors de la planification et de l'enseignement.

Gardner (1991, 1993) décrit les «points de départ» comme une stratégie élaborée sur la base des différents profils d'intelligence. Il propose aux élèves l'exploration d'une matière donnée à partir de cinq avenues ou points de départ.

- le point de départ narratif: raconter une histoire ou faire une narration concernant le sujet ou le concept en question;
- le point de départ logique-quantitatif: utiliser des nombres ou des approches déductives et scientifiques concernant le sujet ou le concept;
- le point de départ de base: examiner la philosophie et le vocabulaire qui entourent ou décrivent le sujet ou le concept;
- le point de départ esthétique: centrer l'attention sur les caractéristiques sensorielles du sujet ou du concept;
- le point de départ expérimental: adopter une approche pratique dans le cadre de laquelle l'élève travaille avec des matériaux qui représentent le sujet ou le concept; ces matériaux établissent aussi un lien avec l'expérience personnelle de l'élève.

Septième année: le Moyen Âge

Madame Boutchard va commencer l'étude du Moyen Âge en Europe avec des élèves d'histoire de septième année. Elle a décidé de les initier à la culture et à la pensée de cette époque en leur faisant étudier les cathédrales. Les cathédrales médiévales sont à l'image — elles sont presque une métaphore — d'une très grande partie de cette période. Madame Boutchard croit que ses élèves auront une base beaucoup plus solide pour comprendre cette période et les gens qui y vivaient s'ils abordent les sujets suivants: la technologie en usage, le rôle de l'architecte à cette époque, les matériaux bruts qui étaient disponibles, le système de professions qui a sous-tendu la création et la construction de ces étonnantes structures et les croyances qui les ont rendues si importantes.

Madame Boutchard commence l'étude du Moyen Âge par une discussion avec toute la classe. Les élèves expriment ce qu'ils pensent lorsqu'ils entendent cette expression. Ainsi, ils ont l'occasion de faire le lien entre ce qu'ils savent déjà et et l'apprentissage à venir. L'enseignante peut alors sonder les connaissances des élèves au sujet de cette période.

L'enseignante donne ensuite à chaque élève la possibilité de choisir une des cinq recherches contenues dans les « points de départ ». Les élèves peuvent travailler seuls ou en groupe de deux à quatre. L'enseignante a aussi créé une feuille de travail pour chaque recherche où elle a précisé les critères de réussite. Voici des résumés d'explications que madame Boutchard donne aux élèves.

Les cathédrales racontées en histoire (point de départ narratif) Lis des histoires fournies par l'enseignante ou provenant d'une autre source. Dans ces histoires, une cathédrale fait partie intégrante de l'intrigue (elle tient presque un rôle de personnage). Dresse une liste des termes employés pour décrire une cathédrale (qui ne proviennent pas d'un dictionnaire ou d'une encyclopédie) à partir de l'information contenue dans cette histoire. À l'aide d'un dessin et d'explications supplémentaires, décris comment l'auteur s'inpire de la cathédrale pour donner forme à l'histoire. Invente une histoire ou une aventure dans laquelle la cathédrale est le « personnage central ». Écris ou raconte cette histoire.

Les bâtisseurs d'héritage (point de départ logique-quantitatif) Utilise les ressources fournies par ton enseignante et d'autres matériaux que tu peux trouver. Construis une maquette pour montrer les principales caractéristiques d'une cathédrale, le type de connaissances en génie et les habiletés requises par les bâtisseurs. Il est important de réfléchir aux connaissances et aux habiletés dont les ingénieurs disposent aujourd'hui en comparaison avec celles des ingénieurs du Moyen Âge.

Tout a une signification (point de départ de base) Les cathédrales sont remplies de symboles. Trouve un moyen de montrer et d'expliquer comment le sol, l'art, les décorations et d'autres éléments permettent de comprendre les croyances des gens qui ont construit les cathédrales du Moyen Âge et qui s'en servaient comme lieu de culte. Utilise les ressources fournies par ton enseignante. Tu voudras probablement en trouver d'autres.

La beauté varie selon l'époque (point de départ esthétique) Utilise les ressources fournies par ton enseignante et d'autres ressources de ton choix. Trouve une façon de montrer comment l'architecture, l'art et la musique de la cathédrale permettent de connaître les goûts des gens du Moyen Âge. Afin d'expliquer ces goûts, tu peux juger utile de comparer leur conception de la beauté avec notre conception actuelle de la beauté.

Ta « cathédrale » (point de départ expérimental) Comme la plupart des gens, tu as sans doute un ou des « endroits » où tu peux prendre un temps d'arrêt pour réfléchir, te poser des questions et te sentir en paix. Certains de ces endroits sont des lieux de culte construits par des architectes et des ingénieurs. D'autres sont des endroits simples qui ont une signification personnelle.

Consulte une liste d'éléments d'une cathédrale et examine des articles fournis par ton enseignante. Trouve ensuite une manière de montrer une ou plusieurs de tes « cathédrales » ou celles de quelqu'un que tu connais. Aide tes camarades de classe à comprendre comment la « cathédrale » que tu as choisie est semblable à celles du Moyen Âge de différentes façons.

Quoi différencier? Madame Boutchard a différencié les contenus en fournissant de la documentation de recherche à chaque groupe. Cette documentation s'adapte aux différentes capacités de lecture. Elle a différencié les processus en proposant différentes manières de penser au sujet des cathédrales. Les productions que les élèves ont créées vont démontrer que leur apprentissage a pris de multiples formes. Les élèves ont besoin de réfléchir à ce qu'est une cathédrale et à ce qu'elle révèle des gens et de l'époque représentée.

Comment différencier? La différenciation permet de mettre l'accent sur les intérêts et le profil d'apprentissage. Les élèves peuvent choisir la recherche qui les intéresse le plus. Ils peuvent alors se spécialiser dans un domaine que leur intelligence privilégie, déterminer les conditions de travail et la manière d'exprimer ce qu'ils ont appris. L'enseignante compose avec les différents niveaux de rendement des élèves en fournissant d'abord des ressources documentaires selon l'habileté en lecture.

Pourquoi différencier? Lorsque l'enseignante introduit des sujets d'étude en tenant compte des divers types d'intelligence et d'intérêts, elle fait appel aux points forts et aux expériences préalables des élèves. Elle accroît la motivation, les chances de succès et la compréhension d'une même matière par des élèves dont les profils d'apprentissage et les intérêts peuvent varier de façon importante. Cependant, malgré les différents modes d'apprentissage, les élèves ressortent de chacune des recherches avec une compréhension commune de cette époque et des gens du Moyen Âge. Ainsi, ils peuvent établir des liens et comprendre les faits, les concepts et les principes présentés dans la suite du module.

Les activités par échelons

Les activités par échelons sont très importantes si un enseignant souhaite s'assurer que les élèves ayant des besoins d'apprentissage différents travaillent sur la même idée essentielle et utilisent les mêmes habiletés-clés. Par exemple, un élève qui a des difficultés de lecture ou d'abstraction a néanmoins besoin de comprendre les concepts et les principes centraux d'un chapitre donné ou d'une histoire. De même, un élève qui dépasse les attentes de son niveau scolaire a besoin de défis à sa mesure pour étudier le même sujet et comprendre les mêmes concepts et principes. Une activité identique pour tous n'aidera probablement pas l'élève, qu'il soit en difficulté ou non, à saisir les idées importantes. De plus, cette même activité ne permettra pas à un élève ayant des connaissances et des habiletés importantes d'augmenter son degré de compréhension.

Les enseignants utilisent les activités par échelons pour que les élèves se concentrent sur les notions et les habiletés essentielles, mais selon différents niveaux de complexité, d'abstraction et d'ouverture. En focalisant sur une même activité mais en offrant des voies d'accès comportant des niveaux de difficulté différents, l'enseignant augmente les probabilités que chaque élève acquière les habiletés et les connaissances cruciales et qu'il relève un défi à sa mesure.

Il n'y a pas de recette pour créer des activités par échelons, mais les lignes directrices suivantes permettront de mieux les planifier (voir la figure 8.1).

- Choisissez le ou les concepts, la ou les généralisations et l'habileté ou les habiletés sur lesquels sera centrée l'activité pour tous les élèves. Ce sont les éléments que les enseignants considèrent comme essentiels pour aider les élèves à construire un cadre de compréhension du sujet.

- Pensez aux élèves pour qui vous concevez cette activité. Utilisez des moyens de contrôle (notes au journal, discussions en classe, jeux-questionnaires) liés à la prochaine leçon pour vous aider à réfléchir au niveau de rendement de l'élève concernant le sujet à l'étude. Ajoutez à cela votre connaissance des talents des élèves, de leurs profils d'apprentissage et de leurs intérêts. Ce procédé n'est pas nécessairement complexe. Ne prenez que quelques minutes pour étudier les individus auxquels cette activité est destinée.

- Créez une activité ou adaptez-en une que vous avez mise en oeuvre avec succès dans le passé. Elle doit être intéressante, demander un niveau élevé de réflexion et être centrée sur les éléments qui amèneront les élèves à comprendre les idées-clés et à pratiquer les habiletés-clés.

- Pensez à une échelle ou dessinez-en une. L'échelon du haut correspond aux élèves qui possèdent de très grandes habiletés et comprennent des idées complexes ; l'échelon inférieur, aux élèves qui possèdent de faibles habiletés et comprennent les idées simples. En pensant aux élèves qui participeront à la leçon que vous avez préparée, décidez à quel endroit la leçon doit se situer sur l'échelle. En d'autres mots, la leçon va-t-elle dérouter les élèves avancés ? Sera-t-elle un défi à la hauteur des élèves qui répondent aux attentes de leur niveau scolaire ou de ceux qui présentent un rendement inférieur ? Après avoir visualisé ce type d'échelle, vous pourrez déterminer les élèves qui auront besoin d'une autre version de la leçon.

Figure 8.1 **L'élaboration d'une activité par échelons**

1

Choisissez les éléments du plan d'organisation :

- le concept
- les habiletés
- la généralisation

essentiels pour construire une structure de connaissances

2

Pensez à vos élèves ou fondez votre répartition sur les points de repère suivants :

- le niveau de rendement
- les intérêts
- le profil d'apprentissage
- les talents

(le niveau de rendement →)

- les habiletés
- la compétence en lecture
- la réflexion
- l'information

3

Créez une activité ayant les caractéristiques suivantes :

- intéressante
- d'un degré d'apprentissage élevé
- qui incite les élèves à pratiquer des habiletés-clés pour comprendre une idée-clé

4

Représentez le degré de complexité de l'activité à l'aide d'une échelle :

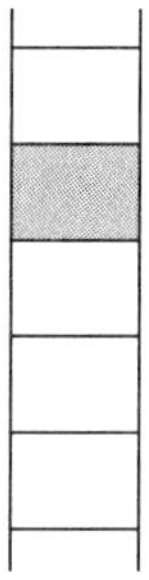

excellentes habiletés ou grande complexité

faibles habiletés et faible complexité

5

Clonez l'activité et situez-la sur l'échelle. Assurez-vous qu'elle représente un défi pour vos élèves et que ceux-ci soient en situation de succès. Évaluez l'activité en fonction des éléments suivants :

- le matériel — de débutant à avancé
- la forme d'expression — de familière à inconnue
- l'expérience — proche ou éloignée de l'expérience personnelle
- le régulateur (voir le chapitre 10)

6

Faites correspondre une version de la tâche aux exigences de celle-ci et au profil d'apprentissage de l'élève.

- « Clonez » cette activité à divers échelons de l'échelle. Ainsi, vous produirez différentes versions correspondant aux divers niveaux de difficulté. Il n'y a pas de nombre déterminé de versions. Quelquefois, deux suffiront. À d'autres occasions, trois, quatre ou même cinq versions sont nécessaires pour atteindre une grande variété d'apprenants. Le « clonage » consiste à varier le matériel que les élèves utiliseront (du matériel de base jusqu'à celui qui représente un défi pour les élèves les plus avancés). Le clonage est réussi lorsque vous permettez aux élèves d'exprimer ce qu'ils ont appris (allant de ce qu'ils connaissent bien à ce qu'ils connaissent moins bien) de différentes manières. Vous atteindrez votre but lorsque vous pourrez concevoir de nombreuses applications ; certaines seront étroitement liées aux expériences des élèves et d'autres en seront très éloignées. (Voir l'annexe, qui peut vous aider à réaliser ce « clonage ») ;
- Faites correspondre une version de la tâche à chaque élève. Pour y arriver, basez-vous sur les besoins de l'élève et les exigences de la tâche. L'objectif est de faire correspondre le niveau de difficulté de la tâche et le rythme de celle-ci au niveau de rendement de l'élève. (Toutefois, vous voudrez sans doute aller un peu au-delà de la zone de confort de l'élève.)

Huitième année : l'étude de l'ozone

En huitième année, les élèves de madame Lightner étudient l'atmosphère. Ils ont eu des discussions en classe, lu des textes sur le sujet, visionné des vidéos et effectué une activité avec toute la classe. Il est essentiel que tous les élèves comprennent ce qu'est l'ozone et pourquoi ce corps gazeux est si important pour l'atmosphère. Madame Lightner souhaite que chaque élève acquière des bases solides pour augmenter ses connaissances et sa compréhension du sujet.

Son évaluation de la compréhension actuelle des élèves et l'attention continue qu'elle apporte aux profils de lecture et de réflexion des élèves l'amènent à la conclusion suivante : une activité par échelons permettrait à tous ses élèves de relever un défi et de mieux comprendre l'importance de l'ozone. En se basant sur sa perception des besoins des élèves, elle a « cloné » une activité sur l'ozone dont elle s'était déjà servie. Elle a ensuite fait correspondre les différentes versions à chaque élève.

Voici un résumé des éléments communs aux quatre versions de cette activité par échelons.

- Tous les élèves réalisaient une activité individuelle et des activités de groupe.
- Tous les élèves recevaient un dossier comprenant des documents imprimés sur l'ozone, son rôle et son importance. Toutefois, le degré de difficulté de lecture des divers dossiers était variable. Il allait du niveau inférieur aux attentes de huitième année à celui de l'enseignement collégial.

- Tous les élèves devaient prendre des notes sur l'information essentielle contenue dans les dossiers. Certains élèves disposaient d'une matrice afin de les guider dans leur prise de notes. D'autres devaient simplement prendre des notes, avec soin, au sujet d'une liste d'idées-clés. L'enseignante supervisait les élèves pour s'assurer qu'ils prenaient des notes claires et complètes.
- Tous les élèves devaient consulter l'Internet pour approfondir leur compréhension de l'importance de l'ozone. L'enseignante dirigeait les élèves vers divers sites présentant des degrés de complexité variés. Certains sites donnaient de l'information de base, d'autres étaient conçus pour des spécialistes. De plus, on encourageait les élèves à trouver d'autres sites Internet pertinents. Tous les élèves devaient citer de manière adéquate les sites d'où ils tiraient leur information, puis ajouter celle-ci à leurs notes.
- Pour montrer qu'ils comprenaient ce qu'est l'ozone et l'importance de celui-ci, les élèves travaillaient en équipes de deux ou trois afin de réaliser une même version d'une activité. À partir des ressources de l'Internet et de leurs notes, ils appliquaient ce qu'ils avaient appris.

Par exemple, le groupe ayant le plus de difficulté à comprendre ce sujet devait écrire un message d'intérêt public pour la télévision ou la radio. Ce message s'adressait aux citoyens de la Nouvelle-Zélande, où l'amincissement de la couche d'ozone constitue un véritable risque pour la santé. Ces élèves utilisaient des refrains publicitaires, des slogans et l'expression artistique pour convaincre le public à l'écoute de l'importance de l'ozone. De plus, ils expliquaient pourquoi l'amincissement de la couche d'ozone constitue un risque pour eux et quelles précautions ils devaient prendre.

Un groupe ayant un peu plus d'habiletés pour la lecture et la compréhension de ce type de matériel scientifique devait faire un sondage auprès de ses pairs. Ce sondage portait sur la connaissance de l'ozone et la compréhension de son rôle. Ces élèves s'inspiraient d'un sondage créé par des spécialistes afin de concevoir, d'effectuer, d'analyser et de présenter leur propre sondage. L'enseignante limitait le nombre de questions posées et le nombre d'élèves interrogés. Ainsi, la tâche était gérable et les élèves pouvaient concentrer leur attention sur les questions importantes. Ils choisissaient la façon de présenter leurs résultats : sous la forme de nouvelles télévisées accompagnées de graphiques appropriés, de scénarios-maquettes ou d'une série de diagrammes. Quelle que soit la forme retenue, les élèves devaient présenter les résultats obtenus et en expliquer les conséquences.

Les élèves d'un troisième groupe, qui répondaient aux attentes de leur niveau scolaire ou qui se situaient un peu au-dessus, devaient écrire un exposé de position. Ce document expliquait de façon articulée un point de vue sur la question. Dans le cas présent, il portait sur la façon dont l'activité humaine influe sur le cycle de l'ozone de manière positive ou négative. L'exposé de position devait être présenté sous la forme d'un bulletin d'information ou d'un magazine d'actualités. Il devait s'adresser à des élèves faisant partie du deuxième cycle d'enseignement primaire. Toutes les opinions devaient être étayées par des preuves crédibles.

Un quatrième groupe d'élèves devait tenir un débat sur l'existence possible d'un problème d'ozone dont l'humanité serait responsable. Chaque participant au débat devait représenter un groupe environnemental ou politique précis et défendre un point de vue. Tous les participants devaient défendre le point de vue de son groupe, réfuter les opinions contraires ou y répondre.

Quoi différencier? Cet exemple montre que madame Lightner différencie les contenus. En effet, elle présente aux élèves du matériel de référence de divers niveaux de lecture et leur suggère différents sites Internet. Elle n'a pas différencié les connaissances essentielles portant sur ce qu'est l'ozone et son importance pour les êtres vivants. Elle a distingué les processus en variant l'importance du soutien apporté pour la prise de notes, le niveau de complexité et d'abstraction et le nombre de facettes intégrées pour démontrer la compréhension du sujet. Dans les processus, elle ne différencie pas : le besoin de tous les élèves de se référer aux documents imprimés et aux ressources Internet ; la recherche de l'information ; l'approfondissement et l'application des connaissances ; l'échange avec les pairs sur ce qu'ils ont appris.

Comment différencier? Une activité par échelons permet de différencier surtout en fonction du niveau de rendement de l'élève. Cependant, l'enseignante peut différencier sur la base des intérêts ou du profil d'apprentissage. Elle peut : suggérer aux élèves de proposer différentes façons de présenter ce qu'ils ont appris ; changer la dimension des groupes ; permettre aux élèves de travailler seuls ; fournir des ressources documentaires enregistrées ou allouer des périodes plus ou moins longues pour accomplir les tâches.

Pourquoi différencier? Madame Lightner vise deux principaux objectifs avec cette activité par échelons. Premièrement, elle veut que tous les élèves acquièrent une bonne compréhension de ce qu'est l'ozone et comment sa présence ou son absence influe sur l'Univers. Deuxièmement, elle veut que tous les élèves travaillent fort afin d'enrichir leurs connaissances et de démontrer leur compréhension. Une activité par échelons ciblée avec soin maximise les chances que tous les élèves de la classe atteignent les deux objectifs visés. En outre, une activité par échelons permet à l'enseignante, pendant que les élèves sont occupés à leur recherche et à son application, de travailler avec des petits groupes. Elle peut les aider à lire, à comprendre et à écrire des textes scientifiques, à naviguer dans l'Internet et à prendre des notes.

Les contrats d'apprentissage

Il existe plusieurs approches pour utiliser les contrats d'apprentissage (Berte, 1975; Knowles, 1986; Tomlinson, 1997; Winebrenner, 1992). Toutefois, chacune de ces approches permet aux élèves de travailler de façon assez autonome avec du matériel qui est, en grande partie, fourni par l'enseignant. Un contrat d'apprentissage est une entente entre l'enseignant et l'élève. Il donne aux élèves une certaine liberté dans l'acquisition des habiletés et des connaissances qu'un enseignant juge importantes à un moment donné. Beaucoup de contrats d'apprentissage fournissent aussi aux élèves l'occasion de choisir, en partie, ce qui doit être appris, les conditions de travail et la manière dont l'information doit être appliquée ou présentée. Un contrat d'apprentissage se définit ainsi:

- il suppose que l'enseignant a la responsabilité de déterminer la matière importante et de s'assurer que les élèves l'apprennent;
- il suppose que les élèves peuvent assumer une partie de la responsabilité de l'apprentissage;
- il détermine les habiletés que l'élève doit pratiquer et maîtriser;
- il assure que les élèves appliqueront ces habiletés dans leur contexte;
- il précise les conditions de travail que les élèves doivent respecter durant le contrat (comportement, échéancier et participation au travail à la maison et en classe);
- il prévoit des avantages (liberté constante, attribution de notes) si les élèves respectent les conditions de travail; des désavantages sont aussi prévus dans le cas contraire (l'enseignant assigne des tâches et définit les paramètres de travail);
- il établit les critères d'une exécution réussie et d'un travail de qualité;
- il comprend les détails de l'entente et la signature par l'enseignant et l'élève.

Quatrième année: une étude de poésie

Madame Howe et ses élèves de quatrième année étudient la poésie. L'étude de ce module sur les arts du langage doit durer trois semaines. Pendant cette période, les élèves étudieront des concepts comme le procédé de la rime, les images mentales et la description sensorielle. Ils travailleront en appliquant les principes-clés suivants:

- La poésie aide les lecteurs à comprendre et à apprécier leur univers.

- La poésie comporte un langage précis et puissant.
- La poésie nous aide à mieux voir et à mieux penser.

Les élèves pratiqueront des habiletés comme la création d'images et d'idées, l'utilisation de mots qui riment, de métaphores et d'une ponctuation adéquate.

Une partie du module de poésie est consacrée à l'enseignement s'adressant à toute la classe. Ainsi, l'enseignante introduit des termes comme la métaphore, la comparaison et la rime. De plus, elle présente plusieurs formes de poésie, par exemple les petits poèmes humoristiques, les quatrains, les poèmes de trois lignes (haïku) et les acrostiches. Les élèves travaillent aussi ensemble simplement pour s'amuser à explorer des œuvres de poètes. Quelquefois, les élèves s'affairent à la même activité, par exemple dans le cadre d'un exercice où ils créent des comparaisons décrivant des personnes et des choses présentes dans la classe. À d'autres moments, deux par deux, ils font une activité similaire qui consiste à ajouter de la ponctuation à des poèmes. Cependant, l'enseignante ne donne pas les mêmes poèmes à tous. Elle ajuste la complexité de la tâche selon la difficulté de la ponctuation des phrases et selon l'habileté des élèves avec ce système.

Une grande partie du module de poésie se déroule dans le contexte d'un contrat d'apprentissage. Chaque élève a une grille constituée de 12 cellules. Chaque cellule explique brièvement une tâche qui doit être terminée au cours du module de poésie. Trois fois par semaine pendant l'étude du module, les élèves travaillent un moment sur leur grille de contrat. Quand une tâche de la grille est terminée, un autre élève en vérifie la précision et la qualité. Ensuite, les élèves la rangent dans un casier empilable qui porte une étiquette correspondant à la cellule de la grille de contrat.

Il y a deux grilles de contrats différentes dans la classe. Les deux se ressemblent beaucoup et ont des titres similaires. Sur les deux grilles, trois cellules vides apparaissent aussi. Les élèves peuvent y inscrire leurs propres tâches ou une tâche qu'ils ont particulièrement aimée et qu'ils veulent répéter.

L'enseignante évalue les élèves sur la partie contractuelle du module de trois façons. D'abord, les élèves obtiennent un résultat basé sur la qualité de leur travail (atteinte de l'objectif, constance du travail, respect des conditions de travail). Ensuite, l'enseignante procède à une ou deux vérifications de chaque grille pour savoir si chacun des élèves l'a achevée et si le travail est précis et bien fait. Enfin, chaque élève choisit deux poèmes faisant partie du contrat d'apprentissage ; ces derniers feront partie du livre de la classe sur la poésie. L'élève, un camarade de classe et l'enseignante évaluent les deux poèmes d'après une liste de contrôle de la qualité affichée dans la classe pour chaque type de poème.

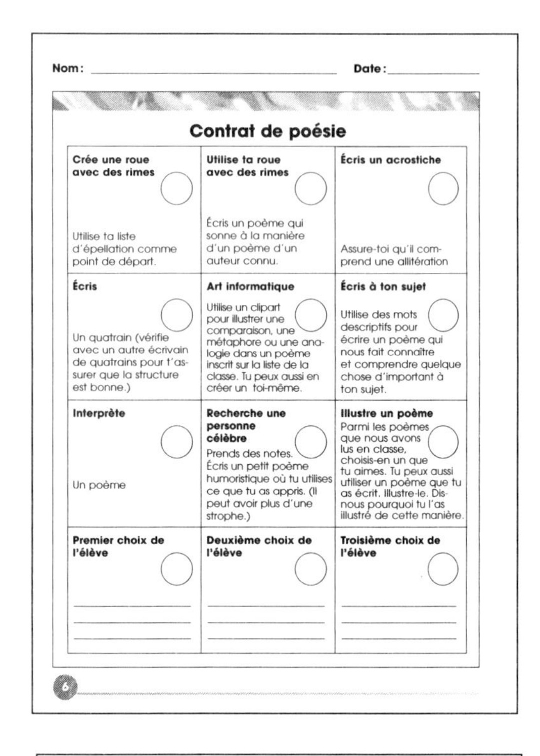

Nom : ______ Date : ______

Contrat de poésie

Crée une roue avec des rimes ○ Utilise ta liste d'épellation comme point de départ.	**Utilise ta roue avec des rimes** ○ Écris un poème qui sonne à la manière d'un poème d'un auteur connu.	**Écris un acrostiche** ○ Assure-toi qu'il comprend une allitération
Écris ○ Un quatrain (vérifie avec un autre écrivain de quatrains pour t'assurer que la structure est bonne.)	**Art informatique** ○ Utilise un clipart pour illustrer une comparaison, une métaphore ou une analogie dans un poème inscrit sur la liste de la classe. Tu peux aussi en créer un toi-même.	**Écris à ton sujet** ○ Utilise des mots descriptifs pour écrire un poème qui nous fait connaître et comprendre quelque chose d'important à ton sujet.
Interprète ○ Un poème	**Recherche une personne célèbre** ○ Prends des notes. Écris un petit poème humoristique où tu utilises ce que tu as appris. (Il peut avoir plus d'une strophe.)	**Illustre un poème** ○ Parmi les poèmes que nous avons lus en classe, choisis-en un que tu aimes. Tu peux aussi utiliser un poème que tu as écrit. Illustre-le. Dis-nous pourquoi tu l'as illustré de cette manière.
Premier choix de l'élève ○	**Deuxième choix de l'élève** ○	**Troisième choix de l'élève** ○

6

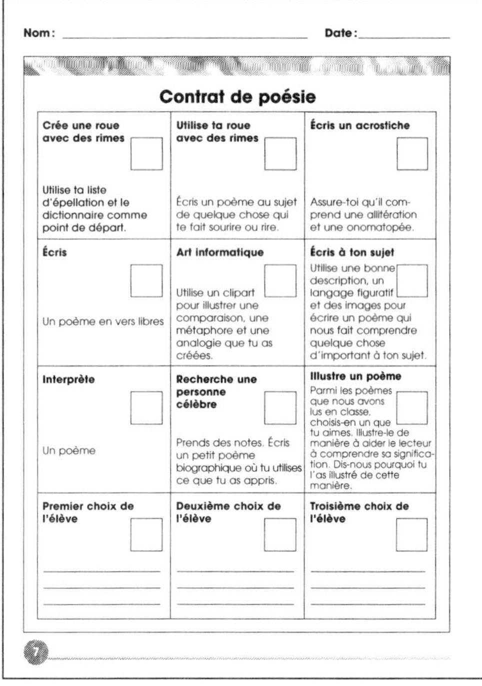

Nom : ______ Date : ______

Contrat de poésie

Crée une roue avec des rimes □ Utilise ta liste d'épellation et le dictionnaire comme point de départ.	**Utilise ta roue avec des rimes** □ Écris un poème au sujet de quelque chose qui te fait sourire ou rire.	**Écris un acrostiche** □ Assure-toi qu'il comprend une allitération et une onomatopée.
Écris □ Un poème en vers libres	**Art informatique** □ Utilise un clipart pour illustrer une comparaison, une métaphore et une analogie que tu as créées.	**Écris à ton sujet** □ Utilise une bonne description, un langage figuratif et des images pour écrire un poème qui nous fait comprendre quelque chose d'important à ton sujet.
Interprète □ Un poème	**Recherche une personne célèbre** □ Prends des notes. Écris un petit poème biographique où tu utilises ce que tu as appris.	**Illustre un poème** □ Parmi les poèmes que nous avons lus en classe, choisis-en un que tu aimes. Illustre-le de manière à aider le lecteur à comprendre sa signification. Dis-nous pourquoi tu l'as illustré de cette manière.
Premier choix de l'élève □	**Deuxième choix de l'élève** □	**Troisième choix de l'élève** □

7

Les minipages ci-contre illustrent les deux grilles de contrats utilisées pour ce module. Il faut noter qu'un des contrats affiche un cercle dans chaque cellule, tandis que l'autre montre un petit carré. Les élèves cochent les cercles et les carrés à mesure qu'ils ont terminé leur travail. Toutefois, ces icônes ont un rôle additionnel. L'enseignante attribue les contrats comportant des cercles aux élèves pour lesquels il est nouveau ou plus difficile d'écrire ou d'interpréter des poèmes. D'un autre côté, l'enseignante attribue les contrats comportant des carrés aux élèves qui sont prêts à accomplir du travail de niveau avancé en poésie. Les deux symboles facilitent le travail de l'enseignante et lui permettent de voir rapidement de quel contrat il s'agit. Les élèves paraissent ignorer la signification de ces symboles.

Les deux versions du contrat donnent aux élèves de l'expérience dans la pratique d'habiletés particulières (par exemple explorer des figures de style ou interpréter un poème). Elles offrent aussi la possibilité d'appliquer ces habiletés à la création de poèmes. Les variantes dans le contenu des cellules représentent une façon, pour l'enseignante, de tenir compte des différences liées au niveau de rendement.

Une autre façon, pour l'enseignante, de tenir compte du niveau de rendement des élèves est d'ajouter des directives. Par exemple, les directives accompagnant le contrat comportant les cercles demandent aux élèves de lire un poème, de l'illustrer, de résumer ses propos et d'écrire ce qu'il signifie ou ce que d'autres peuvent apprendre en le lisant. Les directives accompagnant le contrat contenant les carrés demandent aux élèves de lire un autre poème, d'en faire une paraphrase et d'expliquer en quoi il aide le lecteur à comprendre le poète et sa poésie. Les élèves doivent aussi écrire un poème similaire à propos de la poésie ou d'un autre sujet en y intégrant des métaphores comme cet auteur l'a fait.

Les élèves de madame Howe apprécient le sentiment de liberté et la responsabilité qu'ils ont de planifier un horaire pour effectuer leur travail. Ainsi, ils peuvent choisir ce qu'ils feront, la journée où ils le feront et ce qu'ils inscriront dans les cellules de la grille. Madame Howe, de son côté, apprécie la liberté dont elle bénéficie pendant que les élèves travaillent aux contrats. Elle peut accorder à certains élèves des entretiens individuels sur la poésie ou sur d'autres facettes de leur travail qui nécessitent son attention.

Quoi différencier? Les contrats permettent à l'enseignante de différencier les contenus (type de poèmes à écrire ou à interpréter, ressources documentaires) et les processus (en variant les directives). Toutefois, les élèves continuent à travailler avec les mêmes concepts, connaissances et habiletés essentiels.

Comment différencier? Madame Howe conçoit les contrats de telle façon qu'ils permettent la différenciation en fonction du niveau de rendement des élèves (elle détermine la documentation, les directives et les différents poèmes), des intérêts (les élèves choisissent le contenu des cellules) et des profils d'apprentissage (les élèves décident quand et comment ils travaillent aux différentes tâches).

Pourquoi différencier? L'apprentissage à l'aide de contrats permet aux élèves d'aborder la poésie à un niveau de complexité qui leur donne plus de chances de relever un défi à leur mesure et de réussir. De plus, l'équilibre entre l'enseignement à toute la classe et le travail à l'aide des contrats est un bon mélange des directives générales de l'enseignant et des particularités de l'élève.

D'autres stratégies favorisant la différenciation

Une myriade de stratégies d'enseignement et de gestion incitent les enseignants à diviser la classe en plus petites unités d'apprentissage. Diviser la classe permet à l'enseignant de penser aux besoins variés des élèves et de créer des groupes qui répondent à des besoins d'apprentissage différents. L'enseignant peut réaliser ce processus en s'assurant que les élèves s'engagent dans des tâches intéressantes et de haut niveau entièrement centrées sur les apprentissages essentiels.

La liste suivante suggère seulement quelques-unes des nombreuses stratégies qui font de la différenciation de l'enseignement un processus naturel. Ajoutez vos stratégies favorites à cette liste. Celle-ci devrait être illimitée et s'allonger à mesure que vous acquerrez de l'expérience dans la création de classes ouvertes à l'enseignement théorique.

La compression

La compression invite les enseignants à évaluer les élèves avant de commencer un module d'étude ou de développer une habileté. Les élèves qui atteignent un bon niveau de rendement (obtenant au moins les trois quarts des réponses) ne devraient pas continuer à travailler sur des concepts déjà appris. Grâce à la compression en trois étapes, l'enseignant documente ce que l'élève sait déjà (et les preuves étayant cette évaluation) ; ce que l'élève ne connaît pas concernant un sujet ou l'habileté qu'il ne maîtrise pas (ce qui permet de planifier comment l'élève apprendra ce qu'il ignore) ; une planification de l'emploi judicieux du temps, ce qui permet à l'élève d'utiliser le temps économisé parce qu'il connaît le sujet ou possède les habiletés dont il est question. La compression commence en mettant l'accent sur le niveau de rendement de l'élève et se termine en accordant beaucoup d'importance à ses champs d'intérêt.

L'apprentissage basé sur la résolution de problèmes

Cette approche de l'apprentissage place l'élève dans la situation suivante : il doit résoudre les problèmes de la même manière que des adultes exercent leur profession. L'enseignant soumet aux élèves un problème complexe et peu clair. Les élèves doivent alors rechercher de l'information supplémentaire, déterminer exactement le problème, trouver et utiliser des ressources de manière appropriée, trouver d'éventuelles solutions, choisir une solution, la communiquer aux autres et évaluer son efficacité. La stratégie fait appel à des capacités d'apprentissage variées. Elle permet le recours à de nombreuses ressources et fournit une bonne occasion d'équilibrer le choix des élèves et le rôle d'encadrement de l'enseignant. De plus, elle permet de tenir compte du niveau de rendement de l'élève, de ses intérêts et de son profil d'apprentissage.

La recherche en groupe

Centrée sur les intérêts de l'élève, cette stratégie guide prudemment les élèves qui font une recherche sur un sujet lié à celui qui est étudié en classe. L'enseignant guide les élèves quand ils choisissent un sujet, et il divise la classe en groupes d'apprenants en fonction de leurs intérêts communs. Ensuite, il les aide à planifier la recherche, à l'exécuter, à présenter les résultats et à évaluer les conclusions individuellement et en groupe. Cette stratégie permet aussi de tenir compte du niveau de rendement des élèves grâce à l'utilisation de documents de recherche dont la complexité varie.

Les études indépendantes

La plupart des élèves ont besoin d'aide pour devenir des apprenants autonomes. Les enseignants de tous les niveaux scolaires devraient systématiquement aider les élèves dans leur démarche d'apprentissage. Ainsi, ils devraient éveiller leur curiosité, les amener à approfondir des sujets qui les intéressent, à résoudre des problèmes captivants, à dresser des plans pour trouver des réponses à ces problèmes, à gérer le temps, à fixer des objectifs et des critères de travail, à évaluer leur progrès par rapport à ces objectifs et à ces critères, à présenter leurs nouvelles connaissances à des publics qui savent les apprécier, puis à recommencer ce cycle.

La stratégie des études indépendantes est une manière toute désignée pour développer les talents et étendre les domaines d'intérêt privilégiés des élèves. Pour y arriver, l'enseignant doit connaître le niveau de rendement actuel des élèves quant à leur capacité de fonctionner de manière autonome. Ainsi, il pourra les faire progresser, peu à peu, vers une plus grande autonomie. Les études indépendantes permettent de mettre l'accent sur le niveau de rendement, les intérêts et le profil d'apprentissage des élèves.

Les tableaux à choix multiples

Avec les tableaux à choix multiples, les différents travaux demandés sont placés en permanence dans des pochettes. En demandant aux élèves de choisir un travail sur une ligne précise du tableau, l'enseignant cherche à adapter le travail aux besoins de l'élève et, en même temps, à donner la possibilité à l'élève de faire un choix. Les tableaux à choix multiples permettent de faire face aux différences de niveaux de rendement et de champs d'intérêt entre les élèves. Pour les jeunes qui ne lisent presque pas, l'enseignant peut coder les fiches à l'aide d'images ou de couleurs. Pour les élèves plus âgés, les fiches peuvent employer des mots qui désignent une tâche ou un lieu de travail dans la classe. Dans les deux cas, l'enseignant donne des directives complètes sur l'exécution de la tâche aux endroits où les élèves travaillent et non pas sur le tableau lui-même. Autrement dit, le tableau à choix multiples permet à l'enseignant de « diriger la circulation ».

Les quatre formes d'apprentissage[1]

Avec cette approche complexe, l'enseignant porte toute son attention sur la manière d'aborder les différents profils d'apprentissage des élèves. Basée sur un inventaire des divers types de personnalités et profils d'apprentissage, cette stratégie pose l'hypothèse que les élèves préfèrent une certaine forme

1. Ce qui correspond à la stratégie aussi connue sous le nom de « 4 mat ».

d'apprentissage. Les enseignants planifient leur enseignement en fonction de chacune des quatre formes. Ils les présentent ensuite au cours des journées consacrées à l'étude d'un sujet. Par conséquent, certaines leçons sont conçues selon les préférences d'apprentissage suivantes : la maîtrise, la compréhension, l'engagement personnel et la synthèse. Tous les élèves participent à toutes les approches. En effet, la stratégie est basée sur la croyance qu'ainsi, chaque apprenant a l'occasion d'aborder le sujet en utilisant ses modes d'apprentissage préférés et, en outre, de renforcer les modes d'apprentissage où il est plus faible.

L'élaboration des portfolios

Ces collections de travaux d'élèves s'avèrent excellentes pour aider les élèves à fixer des objectifs d'apprentissage et à évaluer leurs progrès. Ce sont aussi des moyens puissants pour aider les enseignants et les parents à réfléchir sur les progrès des élèves au fil du temps. Les portfolios peuvent faire partie intégrante de l'enseignement à tout âge. Ils permettent aussi de centrer l'enseignement sur le niveau de rendement, les intérêts et le profil d'apprentissage. Les portfolios sont motivants à cause de la grande importance qui est accordée aux choix des élèves. Ils se prêtent à une évaluation continue, ce qui aide les enseignants à considérer les élèves comme des individus. Cette stratégie possède une très grande valeur dans une classe différenciée.

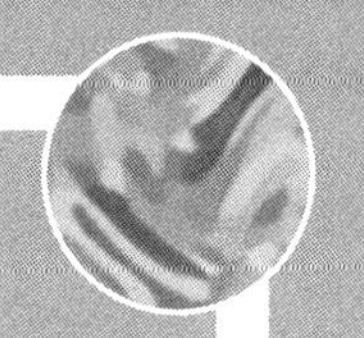

CHAPITRE 9

Comment mettre en pratique la différenciation des apprentissages ?

Jusqu'ici, nous avons porté toute notre attention sur des questions de différenciation du curriculum. Celui-ci est essentiel; c'est le cœur de l'enseignement. Mais la gestion de la classe est tout aussi importante; c'est le système nerveux central de la classe. Sans le cœur, il n'y a pas de vie, mais sans le système nerveux central, rien ne fonctionne. Ce chapitre est centré sur la gestion de classe qui soutient l'enseignement différencié.

Des images de l'école

Nous avons tous notre propre conception de ce que devrait être l'école. Les parents basent leur opinion sur les années qu'ils ont eux-mêmes passées à l'école. Nous, les enseignants, créons des images différentes de l'école; ces images sont empreintes tout autant de nos premières années d'études et de notre formation professionnelle que de nos débuts dans l'enseignement. Les élèves, quant à eux, forgent leur perception de l'école au fil des jours et de leurs apprentissages.

Les bandes dessinées, le cinéma, la télévision et la littérature influencent aussi la conception que chacun se fait de l'école. Ces images recréent souvent le même modèle: des rangées de pupitres où sont assis des élèves qui attendent patiemment — avachis ou en se tortillant — que l'enseignant, debout devant le groupe, fasse ce qu'il avait prévu pour la journée. Peu de ces images nous invitent à visualiser, encore moins à créer, des classes différenciées pour répondre à la très grande variété de besoins des élèves.

Il n'y a pas non plus de méthode infaillible pour maîtriser les approches alternatives d'enseignement et d'apprentissage, approches dont le bon sens, appuyé par de nombreuses recherches, nous dit pourtant qu'elles seraient plus efficaces que le modèle traditionnel.

À ceux qui cherchent des structures pouvant remplacer avantageusement le modèle traditionnel de la classe, ce chapitre ne fournit pas toutes les réponses. Il permet toutefois de réfléchir au concept de classes différenciées, à leur planification et à leur gestion.

Avant de débuter...

La notion de classe différenciée, centrée sur l'élève, est nouvelle pour vous? Voici quelques réflexions pour guider votre planification dans cette direction.

Pensez à votre philosophie des besoins individuels

Une jeune enseignante qui travaille dur à mettre en place une classe différenciée affirmait récemment : « L'enseignement différencié n'est pas une stratégie, c'est une manière d'envisager chaque geste posé à titre d'enseignant et chaque action que les enfants accomplissent quand ils apprennent. » Elle a tout à fait raison et sa réflexion nous livre de précieux conseils.

Plutôt que de se consacrer d'abord à ce qu'il faut faire dans la classe, il est plus sage de focaliser sur la façon d'envisager l'enseignement et l'apprentissage.

- Selon vous, qu'est-ce qui est le plus logique : que vous accomplissiez la plus grande part du travail en classe ou que les élèves soient les principaux artisans de leurs savoirs et qu'ils travaillent et pensent par eux-mêmes ? Pourquoi ?
- Est-ce qu'il vous paraît vraisemblable que tous les élèves aient toujours besoin du même livre, du même problème de mathématiques ou du même cours d'arts plastiques ? Est-il plus probable que les élèves présentent des niveaux de rendement différents pour lire, compter ou dessiner ? Pourquoi ?
- Les élèves semblent-ils apprendre tous de la même manière et au même rythme ? Au contraire, certains traitent-ils l'information différemment, à un rythme différent des autres ? Comment le savez-vous ?
- Apprenez-vous davantage au sujet des élèves quand vous leur parlez ou quand vous parlez avec eux ? Pourquoi ?
- Les élèves deviennent-ils autonomes quand on leur dicte toujours quoi faire ? Deviennent-ils autonomes quand les enseignants leur donnent systématiquement la responsabilité d'apprendre et qu'ils leur enseignent à profiter correctement de leur autonomie ? Pourquoi ?
- Les apprenants se sentent-ils concernés par leurs apprentissages lorsqu'ils peuvent choisir les sujets d'études et la manière de les aborder ? Sont-ils beaucoup ou un peu concernés ? Pourquoi ?
- La motivation à progresser est-elle plus grande lorsqu'on cherche à atteindre ses propres sommets ou lorsqu'on vise les objectifs ciblés par quelqu'un d'autre ? Pourquoi dites-vous cela ?
- En général, êtes-vous plus efficace quand vous enseignez à de petits groupes d'élèves ou à des élèves seuls que lorsque vous le faites pour toute la classe ? Pourquoi dites-vous cela ?
- L'apprentissage est-il plus riche et plus durable quand les connaissances sont apprises par cœur ou quand il est basé sur des activités signifiantes ? Comment le savez-vous ?

Cette liste pourrait être illimitée. Ajoutez-y vos propres questions sur l'enseignement. À l'avenir, quand vous planifierez, l'évolution de vos convictions guidera vos choix et sera l'expression de votre enseignement. Prendre conscience de vos convictions vous donnera confiance et vous mettra à l'aise pour répondre aux questions de vos élèves, de vos collègues, des administrateurs scolaires et des parents qui vous demanderont pourquoi vous enseignez de cette façon.

Un départ en douceur

Comme les élèves, bien des enseignants sont prêts à relever des défis d'importance différente. De nombreux enseignants abordent la différenciation avec succès en procédant d'abord à de petits changements bien structurés. Voici quelques suggestions. Retenez celles qui correspondent à votre cheminement.

- Commencez le processus de différenciation en soumettant à vos élèves une activité signifiante qu'ils réaliseront seuls et en silence, comme l'écriture d'un journal, une lecture libre, des exercices sur la structure d'une langue étrangère, des exercices de mathématiques ou un travail de dessin. Ce type de tâche est très pertinent pour les élèves, qui devraient en exécuter régulièrement pendant au moins une partie de l'année. Il peut paraître paradoxal de commencer la différenciation en ne différenciant pas. Mais en demandant aux élèves d'accomplir une tâche familière dans le silence absolu, vous préparez le terrain : seuls ou en petits groupes, certains élèves pourront plus tard exécuter des tâches différentes pendant que le reste des élèves continuera à travailler à des activités prévisibles correspondant à leur niveau de rendement.
- Dès le début, vous pouvez demander à certains élèves de travailler seuls et en silence à une activité pendant que les autres élèves se penchent sur des tâches différentes qui n'exigent pas non plus de discussion ou de coopération. Vous introduisez ainsi l'idée que les élèves ne doivent pas toujours faire la même chose en même temps. Vous créez une atmosphère qui favorise la concentration de chaque élève et vous soulignez l'importance d'être à son affaire.
- Essayez une tâche différenciée de courte durée. Dans une classe du niveau primaire, par exemple, commencez le cours de français en demandant à tous les élèves de lire, deux par deux, un texte choisi dans la même « boîte de lecture ». Ce moment de lecture permet de différencier l'enseignement en fonction du niveau de lecture de chacun. Après 10 minutes de travail en dyades, appelez tous les élèves dans le coin-lecture et lisez-leur une histoire, dont vous discuterez ensuite avec toute la classe. Autre exemple : dans un cours d'histoire de niveau intermédiaire, commencez à discuter

en grand groupe de deux périodes historiques et utilisez un organisateur graphique pour en faire la comparaison. Pendant les 10 dernières minutes de cours, demandez aux élèves d'écrire dans leur carnet d'apprentissage. Les textes peuvent être de complexité différente ou s'inspirer d'intérêts différents. En commençant par une petite activité comme celle-là, vous ne risquez pas de vous égarer en chemin : vous pensez à la route qui vous mènera au succès plutôt que de vous perdre en raison d'un itinéraire mal planifié. Vous préparez en outre vos élèves à vivre des réussites dans une classe centrée sur l'élève et son autonomie. Enfin, le fait de demander de gérer trop de routines et de procédés auxquels ils ne sont pas préparés peut nuire aux apprenants. Une telle activité évite donc de les déboussoler.

Progressez lentement, mais progressez

Il est préférable de réaliser seulement quelques projets, mais de bien le faire. Fixez-vous des objectifs réalistes et ne les perdez pas de vue. Comme vos élèves, vous progresserez mieux si les défis ne sont pas trop grands. Attendre les conditions idéales ou attendre que vous soyez sûr de vous mène à la léthargie plutôt qu'au progrès. Par contre, essayer de réaliser trop de choses auxquelles vous n'avez pas assez réfléchi engendre de la frustration et des échecs. Voici quelques idées simples mais non moins importantes qui pourraient vous convenir. Retenez-en une ou deux en guise d'objectifs pour l'année scolaire.

- Prenez des notes chaque jour au sujet de vos élèves. Soyez conscient de ce qui fonctionne ou de ce qui ne fonctionne pas pour chaque apprenant.
- Évaluez vos élèves avant d'enseigner une compétence ou une matière. Analysez les résultats de cette préévaluation et leur portée pour vous et vos élèves.
- Considérez tous les travaux que les élèves réalisent (discussions, journaux de bord, centres, productions, jeux-questionnaires, tâches de groupe, travail à la maison) comme des indicateurs de leurs besoins et non comme des prétextes pour leur accorder des notes.
- Essayez de créer une leçon différenciée par module.
- Différenciez une production par étape.
- Trouvez de multiples ressources pour une ou deux parties-clés de votre programme d'études. Par exemple, pensez à proposer plusieurs textes, des livres supplémentaires pour des niveaux de lecture différents (de débutant à très avancé), des vidéos, des enregistrements audio que vous, ou des volontaires, réaliserez au cours de l'année.

- Fixez des critères de réussite pour l'ensemble des productions des élèves. Ensuite, invitez chaque élève à formuler des critères personnels. En vous basant sur les forces et les besoins que vous connaissez de l'élève, aidez-le à ajouter un ou deux critères à sa liste.
- Donnez aux élèves la possibilité de choisir leurs techniques de travail et leurs modes d'expression, de même que les tâches qu'ils feront à la maison.
- Mettez au point un contrat d'apprentissage de deux jours pour la première période d'évaluation, un de quatre jours pour la deuxième période et un autre d'une semaine pour la troisième.

La liste ci-dessus n'est pas exhaustive. Elle vise à favoriser votre cheminement, à vous permettre d'essayer quelque chose de nouveau, de réfléchir sur vos expériences et d'en tirer des leçons pour, toujours, aller plus loin.

Visualisez votre future activité

Les athlètes olympiques font souvent une pause avant une compétition ; ils ferment les yeux et se voient en train d'exécuter leurs manœuvres. Ils s'imaginent franchissant le cheval sautoir, exécutant un saut à ski ou accomplissant un plongeon avec brio. La visualisation est aussi bonne pour un enseignant d'une classe différenciée. Avant de commencer la journée, prenez le temps de vous demander de quelle façon vous voulez amorcer une activité différenciée, ce à quoi vous voulez qu'elle ressemble et comment vous souhaitez qu'elle se termine. Réfléchissez à ce qui pourrait aller de travers pendant l'activité et planifiez de façon à éviter les embûches. Rédigez votre marche à suivre ainsi que les directives que vous donnerez aux élèves. Évidemment, vous ne pouvez prévoir toute la confusion qui peut survenir, mais vous anticiperez de mieux en mieux en gagnant de l'expérience et vous deviendrez habile à planifier et à donner de bonnes directives. Surtout pendant les premières étapes, la différenciation improvisée a moins de chances de réussir qu'une différenciation bien orchestrée.

Prenez du recul et réfléchissez

Alors que vous cheminez vers la création d'une classe différenciée, assurez-vous de réfléchir à chacun des pas qui vous y mènent. Lorsque vous essayez quelque chose de nouveau, prenez le temps de réfléchir avant de faire le pas suivant. Vous pourriez, par exemple, vous poser de nombreuses questions, dont les suivantes.

- Quels élèves semblent engagés dans leurs apprentissages ? Lesquels semblent détachés ? Dans les deux cas, savez-vous pourquoi ?

- Quelle preuve avez-vous que chaque élève a compris l'essentiel de la leçon ou qu'il se l'est « appropriée » ? Avez-vous besoin de davantage de preuves pour répondre à cette question ?

- Que pensez-vous de la façon dont vous avez introduit cette activité ou cette leçon ?

- L'activité, ou la leçon, a-t-elle commencé comme vous le souhaitiez? Vous êtes-vous égaré dans vos consignes? Comment? Qu'est-ce qui a fonctionné ou moins bien fonctionné quand les élèves ont commencé à travailler? Vos directives étaient-elles claires? Le matériel était-il facilement accessible? Aviez-vous précisé à quel moment il fallait changer de poste, de centre ou de petit groupe, par exemple? Aviez-vous spécifié et insisté sur le temps qui était alloué à la tâche?

- Pendant l'activité ou la leçon, les élèves sont-ils restés bien concentrés? Si la concentration était relâchée, en avez-vous déterminé la ou les raisons? Si la concentration s'est maintenue tout au long de l'activité, pourquoi tout a-t-il si bien fonctionné? La dimension des groupes convenait-elle? Faut-il que certains élèves s'assoient ailleurs dans la classe? Certains groupes ou paires d'élèves étaient-ils improductifs? Y a-t-il des élèves qui travaillent mieux en groupes et d'autres, seuls? Les élèves savent-ils contrôler la qualité de leur travail? Savaient-ils comment obtenir de l'aide?

- Comment s'est déroulée la fin de l'activité ou de la leçon? Aviez-vous prévenu les élèves pour qu'ils s'arrêtent d'une manière organisée? Savaient-ils où replacer le matériel et les fournitures? Aviez-vous demandé à quelques élèves de ranger le matériel, de déplacer les meubles ou d'effectuer d'autres tâches de nettoyage? Les choses étaient-elles bien organisées pour le cours suivant ou pour le lendemain? La transition vers le cours ou l'activité suivant s'est-elle déroulée dans le calme?

- Avez-vous remarqué les apprentissages effectués par chaque élève tout au long de la leçon? Quelle était votre interaction avec les élèves ou les groupes d'élèves au cours de leur travail? Quelles informations utiles avez-vous recueillies en allant de groupe en groupe? Quel type d'encadrement efficace avez-vous pu effectuer? Quelles améliorations pourriez-vous apporter à votre manière de collecter les données et de guider les élèves?

Prenez note de ce dont vous voulez vous souvenir la prochaine fois que vous ferez une activité différenciée. Notez aussi ce que vous voulez améliorer. Faites des plans précis en vue de mettre à profit ce que vous avez perçu et retenu de votre réflexion.

Se préparer à une longue route

La différenciation deviendra progressivement un mode de vie si votre philosophie de l'enseignement respecte les besoins individuels des élèves et si vous concevez les routines et les procédures de la classe différenciée de manière systématique et réfléchie. La différenciation ne sera pas quelque chose que vous accomplirez seulement de temps à autre. À ce stade-ci, il vous faut incorporer au moins trois choses importantes à vos routines. Les trois sections suivantes vous présentent chacune d'entre elles.

Dès le début, parlez souvent avec vos élèves

Alors que vous développez votre philosophie de la différenciation, faites part de vos préoccupations à vos élèves. Soyez un « enseignant métacognitif » ; vous devez exprimer vos pensées en conversant avec les élèves. Vous modifiez ainsi l'image que la plupart des élèves se font de l'école. Dites-leur pourquoi et comment vous le faites. Voici quelques idées qui vous aideront peut-être à susciter l'engagement chez vos élèves en créant une classe réceptive.

- Prévoyez une activité qui suscite la réflexion des élèves sur les différents moyens d'apprentissage que chacun privilégie et sur ce qu'il aime apprendre. (En fait, ils ont déjà une perception assez claire de cela.) L'activité variera selon l'âge des élèves. Certains enseignants demandent à leurs élèves d'indiquer, sur une échelle de compétences, leurs forces et leurs faiblesses dans des activités liées ou non avec la matière en question. Certains enseignants leur demandent d'écrire leur autobiographie en tant qu'apprenants. Celle-ci tient compte de sujets tels que leurs expériences positives ou négatives à l'école, la matière qu'ils préfèrent et celle qu'ils aiment le moins, des façons d'apprendre qu'ils trouvent efficaces ou, au contraire, inefficaces. Une enseignante travaillant avec de jeunes élèves a fait un sondage auprès des parents pour savoir à quel âge leur enfant s'était assis seul pour la première fois, avait marché, avait couru, avait percé sa première dent et était monté à vélo. Par la suite, elle a aidé les élèves à concevoir des diagrammes à bandes avec toutes ces données. Le résultat était frappant : les enfants faisaient les choses pour la première fois à des âges différents. Ils sont arrivés à la conclusion qu'il n'est pas important de savoir quand ils avaient appris à parler ; ce qui comptait, c'était qu'ils l'avaient appris ! Tout au long de l'année, l'enseignante évoquait ce diagramme pour leur rappeler qu'il est correct que des élèves développent une habileté avant leurs camarades ou après eux. Finalement, ce qui est important, c'est d'acquérir l'habileté et de bien l'utiliser.

- Quand vous réalisez l'activité ci-dessus, dites bien à vos élèves que leurs différents besoins, leurs forces et leur profil d'apprentissage constituent des caractéristiques qui vous intéressent en tant qu'enseignant. Demandez-leur s'ils croient que vous devriez prêter attention au développement de leurs forces individuelles et les aider à s'améliorer dans certains domaines où ils éprouvent des difficultés en vous concentrant sur les façons qui leur conviennent personnellement le mieux. Ou croient-ils que vous offririez un meilleur enseignement en ignorant ces choses? Parions qu'ils vont choisir l'approche personnalisée!
- Vous pouvez maintenant engager une discussion avec vos élèves de manière à leur présenter le fonctionnement et l'organisation d'une classe différenciée. Discutez avec eux de la manière dont votre rôle changera. Par exemple, vous travaillerez souvent avec des petits groupes et avec des élèves seuls plutôt qu'avec toute la classe. Les rôles des élèves seront aussi différents. Ils s'aideront de différentes manières et se soutiendront les uns les autres dans leurs apprentissages, vous permettant de travailler avec des élèves seuls et de petits groupes. Les élèves auront davantage de responsabilités à l'égard du fonctionnement de la classe, et devront gérer judicieusement leur temps. Leurs exercices différeront. Tous n'auront pas toujours le même travail à effectuer en classe ou à la maison. La classe sera visuellement différente puisque de petits groupes ou des élèves seuls travailleront à diverses tâches. Les élèves constateront qu'il y aura plus de déplacements et qu'ils utiliseront une plus grande variété de matériel.
- Maintenant, vous êtes prêt à demander aux élèves de vous aider à établir les lignes directrices et les procédures pour gérer la vie en classe. Laissez-les vous aider à déterminer comment commencer le cours, comment donner des directives quand plusieurs tâches commencent en même temps, comment ils doivent trouver de l'aide lorsque vous êtes occupé, ce qu'ils doivent faire quand ils ont terminé une tâche assignée, comment maintenir la concentration de la classe au fil du déroulement des activités et comment conclure une activité de façon ordonnée. Ces conversations peuvent avoir lieu quand le besoin se fait sentir pour chaque procédure, mais elles sont capitales pour mettre en œuvre et maintenir un environnement d'apprentissage voué au succès.

Continuez à responsabiliser les élèves

Il y aura toujours certains rôles que seul l'enseignant peut remplir dans une classe. D'ailleurs, certains enseignants trouvent plus facile de tout accomplir pour les élèves plutôt que de leur enseigner à faire les choses; c'est ce qui doit être évité. Cherchez les choses que vous pouvez déléguer et préparez graduellement vos élèves à les accomplir efficacement. Par exemple, les élèves peuvent-ils apprendre à changer les meubles de place efficacement et silencieusement quand il faut réaménager la pièce? Les élèves peuvent-ils distribuer ou ramasser les chemises de travaux et le matériel? Les élèves peuvent-ils, peu importe le moment, vérifier le travail d'un pair d'une manière responsable? Les élèves peuvent-ils apprendre à ranger la classe? Peuvent-ils apprendre à classer leurs travaux aux endroits indiqués plutôt que de vous les apporter? Peuvent-ils apprendre à noter avec précision les tâches accomplies ainsi que la date à laquelle ils les ont terminées? Peuvent-ils consigner leurs notes pour mesurer leurs progrès? Peuvent-ils apprendre à se fixer des objectifs d'apprentissage personnels et à évaluer leurs progrès par rapport à ces objectifs? La réponse à toutes ces questions, et à bien d'autres, est oui. Mais il faut leur enseigner comment! Aider les jeunes à maîtriser ces divers aspects de leur vie d'élèves ne permet pas seulement de développer leur autonomie, leur réflexion et leur esprit critique; cela crée également une classe qui leur appartient autant qu'à l'enseignant, et ça, c'est motivant! C'est aussi une classe où l'enseignant n'est pas toujours à bout de nerfs parce qu'il essaie de tout faire pour chacun.

Restez analytique

Les classes sont des endroits qui fourmillent d'activités et où, souvent, l'action prime sur la réflexion. Apprendre à mettre en œuvre une classe différenciée, c'est comme apprendre à diriger un grand orchestre. On a besoin de nombreux musiciens, de plusieurs partitions et instruments et de beaucoup d'habiletés. Un chef d'orchestre qualifié entend et voit beaucoup de choses à la fois lorsqu'il manie la baguette. Une fois descendu du podium, il prend le temps de réfléchir aux intentions du compositeur et à l'équilibre entre les sections. Il écoute l'enregistrement des répétitions et le compare à ses objectifs en vue du concert. Il note que tel passage a besoin d'être retravaillé et il porte une attention particulière à chaque section.

À mesure que votre classe différenciée évolue, cultivez vos habiletés analytiques. Certains jours, observez seulement la façon dont les élèves s'intègrent aux groupes et comment ils les quittent. Le lendemain, observez seulement les élèves les plus avancés et notez quels sont ceux qui choisissent de travailler avec du matériel visuel et quels sont ceux qui optent pour les activités kinesthésiques. De temps en temps, filmez la classe ou demandez à un collègue de le faire. Vous constaterez ainsi certains points positifs qui vous auraient échappé autrement, et vous découvrirez que du travail supplémentaire s'avère nécessaire dans des domaines spécifiques.

En outre, soyez analytique avec vos élèves. Demandez-leur de se rappeler les lignes directrices que vous aviez établies ensemble pour assurer un travail efficace en groupe. Demandez-leur d'analyser avec vous les procédures qui fonctionnent bien pour eux et celles qui ne fonctionnent pas. Laissez-les suggérer des moyens pour travailler encore mieux ensemble (ou pour commencer le cours, ou pour faciliter les déplacements dans la classe). Dites-leur tout le plaisir que vous ressentez quand vous les voyez devenir plus responsables et plus autonomes. Quand ils éprouvent de la fierté, laissez-leur la chance de l'exprimer. Comme le chef d'orchestre, travaillez aussi ensemble lorsqu'il y a dissonance, non pas pour éliminer le « passage difficile de l'œuvre », mais pour revoir toute la « pièce » ou pour poursuivre les « répétitions par sections ».

Quelques considérations pratiques

Il y a plusieurs années, un enseignant m'a confié que le succès d'un enseignant provenait en grande partie de son habileté à savoir où garder les crayons. Dans ce temps-là, j'étais beaucoup trop novice pour comprendre ce qu'il disait et je le trouvais superficiel. Trente ans et quelques milliers d'élèves plus tard, je comprends ce qu'il voulait dire. Voici quelques indices qui ont l'air banals, mais qui sont néanmoins essentiels à la mise sur pied d'une classe différenciée. La liste n'est pas exhaustive et certaines idées ne s'appliqueront pas dans votre classe, mais elles vous inciteront à découvrir combien il est crucial de savoir « où mettre les crayons » dans votre milieu professionnel.

Réfléchissez aux directives que vous donnez

Lorsque vous devez donner des directives pour de nombreuses tâches, ne le faites pas en grand groupe. C'est du temps perdu, cela porte à confusion et attire trop l'attention sur le fait que les tâches varient. Dans ce cas, le truc est de dire à chaque élève ce qu'il doit faire sans donner de directives à tout le groupe. Voici quelques suggestions.

- Commencez le cours avec une tâche familière. Quand les élèves se sont installés, rencontrez un petit groupe à la fois pour donner vos directives pour les tâches différenciées.
- Donnez aujourd'hui les directives pour le lendemain : dans chaque groupe, donnez vos directives à un élève qui écoute attentivement. Il pourra donner les directives à son équipe quand la tâche commencera, le lendemain.
- Préparez des fiches qui décrivent les tâches. Les élèves peuvent aller à un endroit où ils sont affectés (ou qu'ils ont choisi) dans la classe et savoir ce qu'ils ont à faire en lisant une fiche soigneusement écrite. Pour les élèves plus jeunes, demandez à des lecteurs plus habiles de lire les fiches au groupe, au début de l'activité.

- Utilisez un magnétophone pour enregistrer vos directives. Les enregistrements audio fonctionnent à merveille pour les élèves qui ont de la difficulté à lire, quand vous n'avez pas le temps d'écrire des fiches de tâches ou quand les directives sont assez complexes pour que vous souhaitiez les expliquer de deux ou trois manières différentes.
- Pour certaines activités, écrivez vos directives sur des transparents pour rétroprojecteur ou sur un tableau à feuilles.
- Pensez-y deux fois avant d'utiliser une procédure entièrement nouvelle pour une tâche en petit groupe. Par exemple, il est plus prudent d'utiliser un organisateur graphique plusieurs fois avec toute la classe avant de demander à un petit groupe d'en faire usage. De même, il est préférable de faire travailler d'abord tous les élèves à un centre d'apprentissage jusqu'à ce qu'ils comprennent comment s'y comporter et, ensuite, d'y différencier le travail.
- Faites en sorte de ne pas être disponible à des moments stratégiques de la séquence d'enseignement. Ne permettez pas aux élèves de vous poser des questions pendant les cinq premières minutes de l'activité ; vous pourriez en faire une « procédure réglementaire ». Ainsi, vous pouvez vous promener dans la classe et vous assurer que les élèves s'installent et qu'ils ont leur matériel. Vous ne serez pas isolé par un élève qui vous pose des questions, permettant ainsi aux autres de ne pas se mettre à la tâche. Vous avez besoin de moments où vous ne serez pas interrompu pour rencontrer de petits groupes et des élèves seuls. Avec des élèves plus vieux, vous pourriez simplement annoncer ces moments à l'avance. Avec des plus jeunes, vous pourriez indiquer que vous vous retirez en portant un ruban autour de votre cou ou en mettant une casquette de baseball. Dans les deux cas, assurez-vous que les élèves comprennent qu'ils ne peuvent venir vous voir à ces moments-là.

Établissez des routines pour l'obtention d'aide

Pour bien des raisons, les élèves d'une classe multitâche doivent, la plupart du temps, apprendre à se faire aider par quelqu'un d'autre que leur enseignant. Enseignez-leur comment faire cela et assurez-vous que d'autres sources d'aide sont à leur disposition.

- Travaillez avec les élèves à développer leur faculté d'écoute. Les enfants négligent souvent cet aspect parce qu'ils savent que quelqu'un leur expliquera ce qu'ils ont manqué. Aidez-les à concentrer leur attention sur vous quand vous parlez, demandez-leur de « rejouer » dans leurs têtes ce que vous venez de dire et demandez à un élève de résumer à voix haute les directives que vous avez énoncées. Ils auront moins besoin d'aide s'ils vous écoutent d'abord attentivement. Cela leur demande du temps et vous demande de la persévérance.

- Demandez à vos élèves d'utiliser le procédé « RIVE », en quatre étapes, s'ils ne savent pas quoi faire ensuite. Il faut d'abord qu'ils se **R**appellent ce que vous avez dit. Si cela ne fonctionne pas, ils devraient fermer les yeux, vous imaginer en train de parler et utiliser leur intelligence pratique afin d'**I**maginer quelles auraient dû logiquement être les directives pour exécuter la tâche. Si cela ne fonctionne pas, ils peuvent **V**érifier avec un camarade de classe (quelqu'un qui est à la même table qu'eux ou tout près et qui travaille à la même tâche). Cette vérification devrait se faire en chuchotant. S'ils ne sont pas encore orientés, désignez un ou plusieurs « **E**xperts du jour » qui ont l'autonomie et les habiletés nécessaires pour servir de guides aux autres élèves. « L'expert » devrait continuer à travailler, ne s'arrêtant que le temps d'aider quelqu'un qui est vraiment bloqué. (La plupart des élèves peuvent, à un moment ou à un autre, servir d'experts pendant une journée pour une ou plusieurs tâches).
- Faites comprendre aux élèves que si le procédé RIVE ne fonctionne pas, ce qui est rare, ils doivent alors passer à une activité familière préapprouvée en attendant votre aide. Faites-leur comprendre qu'il n'est pas répréhensible de vous dire comment ils ont essayé la procédure RIVE, n'ont pas obtenu de résultat et ont commencé à travailler à une autre tâche. Par contre, il n'est pas acceptable qu'ils s'assoient et attendent ou gênent les autres. Assurez-vous toujours que vos élèves comprennent la valeur que vous accordez au temps. Aidez-les à comprendre qu'il y a beaucoup de choses importantes à réaliser dans une journée et peu de temps pour les faire. Une bonne gestion du temps devrait faire partie de l'éthique de la classe.

Soyez bien organisé et toujours conscient de ce que les élèves font

Nombre d'enseignants craignent de ne pas savoir ce qui se passe pendant que les élèves travaillent à diverses tâches différenciées. De plus, un enseignant efficace ne peut se trouver « hors circuit ». Dans une classe différenciée, l'enseignant se doit d'être conscient de ce que font les élèves et comment ils le font. Les enseignants doivent considérer la question de situer le progrès des élèves. Voici quelques suggestions utiles pour y parvenir.

- Examinez les chemises de travail des élèves. Elles restent toujours dans la classe et contiennent tous les travaux en cours (incluant le travail partiellement complété, les études indépendantes et les choix de base). La chemise devrait aussi contenir une feuille de suivi de dossiers sur laquelle les élèves notent les travaux qui sont terminés et la date où ils les ont complétés. Les élèves devraient aussi noter les entretiens individuels qu'ils ont eus avec vous au sujet de leurs progrès et de leurs objectifs. D'autres élèves inscrivent les résultats qu'ils ont obtenus sur la page intérieure de la chemise. Ces chemises vous donnent un portrait complet pour analyser leurs progrès; elles sont aussi utiles pour les rencontres avec les parents, ainsi que les rencontres avec les élèves et les parents.

- Dressez la liste de toutes les habiletés et les compétences que vous voulez que vos élèves acquièrent pour chaque facette du sujet (par exemple, en écriture, épellation, lecture et grammaire). Ajoutez à cette liste des habiletés de base et d'autres plus avancées. Puis faites de cette liste un outil de vérification. Mettez les compétences par ordre de priorité, sur une colonne, à gauche, et laissez de l'espace à droite, à côté de chaque compétence, pour écrire plusieurs dates et commentaires. Faites une liste de vérification pour chaque élève et conservez les listes, par ordre alphabétique, dans un carnet. Régulièrement, contrôlez au hasard le travail des élèves en regardant la liste de vérification ou procédez, de temps en temps, à une évaluation écrite ou orale avec certains élèves ou avec tout le groupe. En notant vos observations pendant un certain temps, vous devriez constater une progression individuelle. Ces observations vous permettront non seulement d'observer le progrès des élèves, mais elles vous aideront aussi beaucoup à créer des activités différenciées ciblées et à la hauteur des besoins de chaque élève. En plus, elles vous serviront à planifier vos entretiens individuels.

- Organisez et indiquez soigneusement les endroits où les élèves rangeront leurs exercices complétés (plateaux empilables, boîtes ou chemises, par exemple). Cette méthode est beaucoup plus efficace que de demander que les exercices vous soient remis ou qu'ils soient empilés sur un bureau.

- Alors que vous circulez dans la classe, ayez souvent avec vous une planchette à pince sur laquelle vous noterez toutes les petites choses charmantes que vos élèves font, les « Ah ! », les points qui portent à confusion ou les conditions de travail qui exigent d'être consolidées. Utilisez ces notes pour réfléchir, pour planifier et pour discuter avec des élèves seuls ou avec toute la classe.

- Ne vous sentez pas obligé de tout évaluer. (Il serait impensable d'accorder des notes aux élèves en piano à chaque répétition !) Il faut prévoir un moment où les élèves doivent résoudre des problèmes, d'autres pour vérifier s'ils y sont parvenus, mais les deux ne doivent pas toujours coïncider. Faites comprendre à vos élèves qu'il est important de compléter les activités pour devenir plus habile et plus persévérant. Quand vous devez vérifier la précision d'un travail, demandez à des élèves vérificateurs ou aux « experts du jour » de le faire. Quand vient le moment d'une évaluation formelle, montrez aux élèves le lien entre de bonnes méthodes de travail et le succès obtenu.

- Quand les élèves travaillent à des activités de logique et que vous ressentez le besoin d'évaluer, faites-le pour apprécier leur persévérance à la tâche, leur effort au travail, l'aide qu'ils ont apportée de façon appropriée ou la réalisation d'activités de base, une fois leur travail complété. Sur une grille comportant le nom de chaque élève, procédez quotidiennement à ce type d'évaluation. Si vous constatez qu'un élève réalise une percée ou fait un progrès remarquable, accordez plus d'importance à l'évaluation ce jour-là. Si, malgré des rappels, un élève a de véritables difficultés à poursuivre une tâche, indiquez un symbole moins (–) dans l'espace prévu pour cette journée. Si nécessaire, à long terme, recherchez les tendances et interprétez ce qu'elles vous révèlent. Même si les tendances ne remplacent pas ce qu'un travail peut démontrer quant aux compétences acquises, vous aurez bien d'autres occasions de vous reprendre. Souvenez-vous que les évaluations formelles prennent plus d'importance pour les élèves s'ils en ont peu souvent. Évaluer continuellement nuit à la volonté des élèves d'apprendre de leurs erreurs, les rend dépendants de l'enseignant et les motive à faire le travail en fonction de l'évaluation plutôt qu'à reconnaître la valeur de l'apprentissage. Enfin, évaluer formellement à tout moment vous rend fou et vous vole du temps précieux que vous pourriez consacrer à réfléchir ou à planifier.

Envisagez d'assigner une place à chaque élève

Dans une classe différenciée, il est souvent utile d'assigner aux élèves des places spécifiques où ils commencent et finissent toujours la journée. Les élèves y resteront quelquefois pendant toute la journée. Si, pour des activités différenciées, ils doivent aller à d'autres endroits dans la classe, ils reviennent à leur place désignée à la fin de la journée.

Une telle attribution des places vous permet de vérifier rapidement les présences et facilite la distribution des chemises de travail par les élèves. Les places désignées vous permettent aussi de vous assurer que la classe est en ordre à la fin d'une activité et que la fin d'un cours, ou la transition, se fait de manière ordonnée. Les places désignées vous permettent également de former des jumelages favorables d'élèves lorsqu'ils doivent y travailler.

Établissez des méthodes de démarrage et de récapitulation

Avant que les élèves se dirigent vers des postes de travail ou des centres, indiquez-leur en combien de temps ils doivent s'installer à leurs nouvelles places puis commencer à travailler. Il faut que vous soyez réaliste, mais aussi un peu avare de temps. Une fois que les élèves se sont déplacés, dites-leur s'ils ont bien procédé ou non. Soutenez-les en ce sens afin qu'ils s'habituent à s'installer sans perdre de temps.

Pendant l'activité, surveillez l'heure. Prévenez les élèves au moins deux minutes avant la fin d'une période de travail (en allumant et en éteignant les lumières ou, simplement, en vous rendant à chaque table pour les aviser). Ensuite, donnez-leur un autre signal pour qu'ils retournent aux places qui leur sont désignées. Les élèves devraient savoir qu'ils doivent retourner à leur place en 30 secondes.

Enseignez aux élèves à viser la qualité

Dans chaque classe, quelques élèves sont enclins à penser que le succès dépend de la vitesse à laquelle ils exécutent leur travail plutôt que de la réflexion qu'ils y consacrent. Montrez-leur clairement qu'un travail soigné et la fierté ressentie sont ce qui compte. Aidez-les à comprendre pourquoi. Demandez-leur d'analyser la différence entre un travail hâtivement terminé et un autre qui fait foi de la persévérance, la révision et la créativité qu'on y a consacrées.

Quelquefois, des élèves finissent leur travail rapidement parce qu'il est trop facile pour eux ou parce que les directives n'énoncent pas clairement les normes d'excellence qu'ils doivent atteindre. Quand ce ne sont pas ces questions qui font problème, insistez, patiemment et constamment, sur le fait que seuls les travaux de qualité sont acceptables. Une enseignante appelle cela « travailler à un Bingo ». Elle enseigne à ses élèves à résister à la hâte de remettre leur travail tant qu'ils n'ont pas fait absolument tout ce qu'ils peuvent pour l'améliorer. Ils peuvent alors dire : « Bingo ! Ça y est ! C'est le mieux que je peux faire. »

Un système de soutien

Au moins quatre groupes de personnes peuvent aider votre classe à cheminer sur la route de la différenciation : vos collègues, les administrateurs, les parents et les membres de la communauté. Vous devrez cependant prendre l'initiative de demander de l'aide à n'importe quel individu de ces quatre groupes. Voici quelques pensées sur la manière de recourir à leur bonne volonté et à leur soutien.

Faites appel à vos collègues

La triste réalité est que, dans plusieurs écoles, quelques-uns de vos collègues vous en voudront si vous êtes innovateur ou si vous consacrez plus d'énergie que la moyenne à votre travail. Par contre, une réalité plus positive demeure :

dans ces mêmes écoles, il y a toujours quelques âmes sœurs auxquelles le travail donne de l'énergie, pour lesquelles les idées des autres servent de catalyseurs et qui sont prêtes à affronter les risques du progrès. Trouvez une ou deux personnes de ce genre et travaillez ensemble.

Dans de nombreuses écoles, un professeur d'art, un éducateur spécialisé, une personne qui enseigne à des surdoués et quelques autres enseignants différencient déjà l'enseignement. Ils ne se considèrent peut-être pas comme spécialistes, mais vous non plus. Ils ont déjà mis en place de bonnes idées et plusieurs routines. Ils seront au moins flattés du compliment que vous leur faites en souhaitant travailler avec eux et en désirant retirer des leçons de leur travail. Rencontrez-les régulièrement, demandez-leur de passer du temps dans leurs classes respectives, planifiez ensemble, étudiez les problèmes en équipe, partagez les leçons et le matériel, soyez des co-entraîneurs : tour à tour, enseignez et observez. De tels partenariats collectifs et la synergie que vous ressentirez peuvent être parmi les avantages les plus intéressants d'une profession qui, trop souvent, vous isole.

Établissez un partenariat avec la direction de l'école

Certains directeurs d'écoles se méfient des déplacements et des discussions en classe. J'ai déjà vu une collègue, avec laquelle je faisais équipe, modifier une telle attitude.

Les idées de cette collègue étaient claires et elle était consciente de l'importance de ce que nous faisions dans cette classe différenciée. Elle s'arrêtait souvent au bureau du directeur et lui disait : « Quand vous vous promènerez dans les corridors aujourd'hui, vous verrez que nos élèves travaillent en groupe. J'espère que vous arrêterez pour jeter un coup d'œil. » Au début, c'est ce que le directeur faisait. Il s'arrêtait brièvement au bord de la porte. Ma collègue l'invita finalement : « J'espère que vous entrerez pour venir observer quelques instants. » Lorsqu'il le faisait, elle l'incitait à aller plus loin en ce sens : « Parlez avec les élèves et vérifiez s'ils savent ce qu'ils font. Je pense que vous découvrirez qu'ils en sont conscients. » Pendant que nous enseignions à nos élèves la débrouillardise et l'autonomie, elle enseignait au directeur à apprécier ce genre de classe. Il devint par la suite notre plus grand défenseur. Si votre directeur se méfie de la différenciation, qu'il ne soutient pas vos idées en ce sens pour toute autre raison, essayez d'être son enseignant à lui aussi !

Si l'administrateur de votre école soutient déjà les classes différenciées axées sur l'élève, partagez avec lui vos objectifs personnels pour l'année ou pour le mois. Invitez le directeur à vous aider à trouver des moyens d'atteindre ces objectifs dans votre classe. Votre directeur peut alors faire des commentaires plus précis et vous pouvez profiter des visions d'un éducateur d'expérience qui est témoin du déroulement de nombreux cours.

Faites monter les parents à bord

La plupart des parents souhaitent que leurs enfants aient un enseignement approprié. Ils veulent que leurs enfants progressent, qu'ils développent leurs forces au maximum et que leurs faiblesses soient réduites, qu'ils trouvent l'école excitante et qu'ils se lèvent, le matin, en souhaitant y retourner. Cependant, les parents ont souvent une image stéréotypée de ce que doit être une classe et cette image ne correspond pas à celle de la classe différenciée.

Demandez aux parents de vous écrire ou de vous dire ce qu'ils souhaitent pour leurs enfants au cours de cette année scolaire. Écoutez-les réellement et tirez-en vos conclusions.

Montrez ensuite systématiquement aux parents comment l'enseignement différencié tient compte des forces des enfants et qu'il construit à partir d'elles. Il leur offre aussi la chance de se renforcer dans les domaines où ils sont faibles, il suit leurs progrès et stimule leur engagement et leur motivation. Faites comprendre aux parents de multiples façons que vous construisez un programme d'études et un mode d'enseignement qui visent les mêmes objectifs qu'eux pour leurs enfants. Des lettres périodiques de classe, des bulletins d'information hebdomadaires ou mensuels, des rencontres avec les parents qui incluent la consultation des chemises ou des portfolios des élèves, ainsi que leurs évaluations, vous aideront à atteindre cet objectif.

Vous souhaitez peut-être demander aux parents de jouer un rôle dans la vie de la classe. Des parents volontaires peuvent : réviser des concepts mathématiques avec des apprenants qui ont des difficultés ; discuter avec des lecteurs avancés au sujet des livres plus complexes qu'ils lisent ; ou travailler à un projet avec n'importe quel élève qui est fier qu'un adulte le trouve suffisamment important pour lui consacrer de l'attention et du temps. Les parents représentent aussi des coffres aux trésors auprès de qui vous trouverez des romans, des expertises en informatique, des cartes géographiques, ou du matériel pratique d'apprentissage — toutes sortes de choses qui donnent de nouvelles occasions d'apprendre à leurs enfants et aux autres élèves.

Les partenariats parents-enseignants sont importants pour une classe différenciée. Un parent connaît toujours mieux son enfant qu'un enseignant peut arriver à le faire. Un enseignant pourra profiter énormément de l'étendue de cette connaissance. Par ailleurs, un enseignant connaît l'élève sous un jour où les parents ne peuvent pas le connaître. Les parents ont aussi intérêt à profiter de l'ampleur de cette connaissance. Regarder un enfant du point de vue du parent et du point de vue de l'enseignant augmente les chances de réalisation de son plein potentiel. Les enseignants les plus intelligents enseignent aux parents tout comme ils enseignent aux enfants. Ils recherchent aussi avec ardeur les occasions d'apprendre des parents.

Impliquez la communauté

Le monde extérieur offre aux élèves encore plus d'occasions d'apprendre que la classe la plus formidable qui soit. Il est logique d'ouvrir la classe différenciée à ce monde plus vaste.

Frederick apprend mieux quand il construit des modèles de différentes choses. Phan a besoin de quelqu'un pour brasser des idées dans sa langue maternelle avant de les écrire. Saranne est plus compétente en informatique que n'importe qui dans l'école et Charlie, en quatrième année, a presque terminé le cours de mathématiques de sixième année. Francie souhaite désespérément apprendre à danser, Philip veut, à tout prix, connaître l'archéologie et Genice désire utiliser un appareil photo 35mm pour faire des clichés pour son projet d'histoire. Rares sont les enseignants qui peuvent faciliter tout cela.

Pourtant, un club peut se porter volontaire régulièrement pour enregistrer des cassettes audio pour les élèves qui ont des problèmes en lecture ou qui ont des difficultés d'apprentissage. Des mentors peuvent faire découvrir un monde de possibilités sur la photo, sur les statistiques de baseball ou sur le jazz. Une communauté peut fournir une liste de volontaires pour communiquer avec les élèves dans d'autres langues. Des musées et des galeries d'art peuvent fournir des idées, du matériel ou des personnes-ressources pour guider des projets personnels. Des personnes âgées peuvent prodiguer des conseils pour toutes sortes de recherches (voir le chapitre 6). Le monde est une classe qui regorge de ressources et de mentors. Un enseignant généreux établit les liens qu'il faut entre les apprenants et ce vaste choix de possibilités.

Comme nous l'avons déjà dit, n'essayez pas de tout faire d'un seul coup. Chaque année, trouvez un moyen de vous lier à un collègue, profitez des visions et du soutien d'un administrateur, apprenez des parents et enseignez-leur ou invitez une partie de la communauté à apporter sa contribution à votre classe. Rappelez-vous que si vous voulez devenir un spécialiste de la différenciation, vous poursuivrez cet objectif pendant toute votre carrière. Vous l'atteindrez en faisant un pas à la fois.

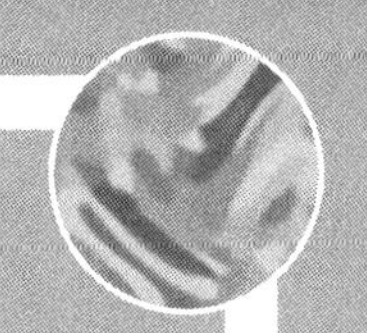

CHAPITRE 10

Quand les leaders de l'éducation font la promotion des classes différenciées

L'enseignement différencié n'est ni une stratégie ni un modèle d'enseignement. C'est une façon de considérer l'enseignement et l'apprentissage qui préconise de commencer à enseigner au niveau où les élèves se trouvent, plutôt qu'en suivant un plan d'action imposé qui met de côté le niveau de rendement des élèves, leurs intérêts et leurs profils d'apprentissage. C'est une façon de penser qui remet en question la vision traditionnelle qu'ont les éducateurs de l'évaluation, de l'enseignement, de l'apprentissage, des rôles en classe, de l'emploi du temps et du curriculum.

Les enseignants qui ressentent individuellement le besoin de relever ce défi peuvent lire un livre comme celui-ci, fusionner leurs philosophies avec leur approche et réorganiser leurs classes. Souvent, les leaders de l'éducation constatent un besoin de faire des changements dans une perspective plus large. Ce chapitre s'adresse aux conseillers pédagogiques, aux directeurs d'écoles et aux administrateurs de commissions scolaires qui veulent être des catalyseurs du développement des classes différenciées. Ce chapitre s'appuie sur la conviction qu'étant donné qu'il est difficile de faire des changements à l'école, ils auront plus de chances de réussir si ce changement prend racine dans les connaissances contemporaines sur le processus même de changement.

Il est essentiel de comprendre cela parce que, lorsque les écoles commencent à adopter les classes différenciées, elles empruntent une voie de changements très significative.

L'expérience, la recherche et les changements à l'école

Nous savons beaucoup de choses sur le processus de changement en éducation : ce qui le soutient et ce qui le mine, les étapes à franchir ainsi que les rôles des participants et leurs réactions. Ce chapitre ne suffit pas, même pour résumer le travail de chercheurs comme Michael Fullan (1993), Seymour Sarason (1990, 1993) et d'autres qui ont jeté un éclairage sur cet obscur processus. Ils concluent leurs travaux en donnant les conseils présentés dans les pages suivantes.

Les titres qui suivent reflètent des principes essentiels à l'orientation des changements dans les écoles et ils ne se veulent pas linéaires. Un changement est complexe, nébuleux et imprévisible. Lorsque nous entreprenons un changement, il n'est pas rare que nous ayons à recommencer ou à sauter des étapes. Les réflexions qui suivent sont malgré tout importantes, à long terme, alors que le leader d'une école ou d'une commission scolaire guide les changements qui mènent à la classe différenciée.

Réfléchissez à vos convictions et à vos objectifs

Prenez un moment pour réfléchir à la raison pour laquelle les classes différenciées représentent un choix judicieux et important pour vous. Est-ce parce que vous croyez profondément à l'importance de communautés d'apprentissage hétérogènes et efficaces pour l'avenir des écoles publiques et de la société ? Est-ce parce que vous voyez trop d'élèves désenchantés dans les classes traditionnelles ? Est-ce à cause de ce que vous savez de la psychologie cognitive et du fonctionnement du cerveau ? Est-ce parce que vous voulez épargner de l'argent ? Toutes les motivations n'ont pas le même poids.

Vous devez savoir pourquoi cela vaut la peine de créer des classes différenciées. Vous devez être capable d'articuler votre point de vue clairement et de manière crédible pour ceux que vous dirigez. Si vous n'êtes pas profondément convaincu de la valeur des classes différenciées, il serait peut-être préférable de ne pas orienter vos actions sur cette voie.

Implantez une vision et partagez-la

Un des rôles importants d'un leader est de nourrir une vision et d'inspirer les autres pour qu'ils se joignent à lui et travaillent à la réaliser. De quoi les classes de votre école ou de votre commission scolaire auront-elles l'air si vous faites ce changement ? Pourquoi ce changement serait-il positif ? Pour qui serait-il positif ?

Ne demandez pas aux enseignants de s'engager sur un chemin plein d'incertitudes. Soyez sûr que votre définition et vos objectifs de différenciation sont clairs. Expliquez ces définitions et ces objectifs pour que d'autres puissent les étudier et en discuter avec vous. Ensuite, procédez à une démarche difficile : tenez votre vision d'une main et, de l'autre, invitez les autres leaders, les enseignants et les parents à réviser et à élargir cette vision. C'est un des paradoxes du changement : les leaders doivent croire en leurs idées, mais être ouverts au fait que d'autres doivent transformer des idées pour qu'un changement s'opère réellement.

L'objectif est clair. Vous voulez favoriser des classes où un excellent enseignement est centré sur les besoins d'apprentissage variés des élèves. Le présent ouvrage propose des moyens d'atteindre cet objectif. Il existe évidemment d'autres façons. Restez ouvert à toutes les idées et invitez d'autres intervenants de votre milieu à vous aider à étoffer votre pensée. Orientez votre démarche : voilà par où commence véritablement le changement. Vous devez aussi comprendre qu'aucun changement ne s'opère sans quelques tergiversations.

Évitez la surcharge de travail

Les enseignants ont souvent l'impression qu'on leur demande d'apprendre et de mettre en application, simultanément, de multiples habiletés. Ils se sentent découragés s'ils perçoivent les classes différenciées comme « un autre devoir à accomplir ». Il faut donc éviter que les enseignants aient l'impression d'avoir un « surcroît de travail ».

Pour qu'un changement efficace s'amorce, les leaders doivent centrer leur attention sur un seul objectif ; par exemple, instaurer des classes plus réceptives à la diversité des apprenants. Assurez-vous que l'objectif retenu soit au centre des préoccupations de tous. Autant que possible, reportez les initiatives qui gênent l'atteinte de cet objectif et favorisez celles qui aideront à le réaliser. Par exemple, dites aux membres du personnel : « Nous apprenons ce que sont les cercles littéraires parce qu'ils nous aident à tenir compte des différences de prédisposition et d'intérêts des élèves de la manière suivante. » Ou dites-leur : « L'information sur les structures culturelles et celles des deux sexes peut nous aider à atteindre notre objectif de mettre sur pied des classes qui répondent aux besoins des élèves de la manière suivante. »

Préparez-vous à une longue route

Faire des changements substantiels est un long processus qui, une fois amorcé, doit être institutionnalisé. Il dure, presque inévitablement, 5 ou 10 ans. Si vous voulez vraiment mettre sur pied des classes différenciées, faites un échéancier et planifiez en conséquence. Informez les membres de votre personnel que l'idée doit « faire son chemin ». Publiez l'essentiel de votre plan et de l'échéancier pour que chacun puisse envisager les choses à long terme avec vous. Évidemment, le plan sera remanié en cours de route et l'échéancier sera révisé. De toute façon, vous devriez faire preuve d'une conviction inébranlable : un changement important prend un certain temps.

Les éducateurs ont une mauvaise habitude : s'emballer pour une approche à la mode puis, rapidement, laisser tout tomber. Les enseignants savent que s'ils restent à l'écart pendant un certain temps, toute initiative ennuyeuse qu'ils souhaitent éviter disparaîtra. Il n'y a pas de solution toute faite pour transformer la différenciation en réalité. Fixer une échéance d'un an pour la réalisation de la différenciation voue le projet à l'échec et diminue les chances que vos collègues fassent vraiment ce qui doit être fait pour changer des choses dans l'école.

Commencez intelligemment

On commence à changer les choses intelligemment en suivant certaines étapes déterminantes. En voici quelques-unes :

- Commencez par de petites choses. Faites des essais avec des enseignants et des classes pilotes plutôt qu'avec toute l'école (et plutôt qu'avec toute une commission scolaire).
- Commencez avec des enseignants qui ont la volonté de faire des changements et qui possèdent les habiletés pour le faire. Ces enseignants réfléchissent déjà à leur profession, ils sont sensibles aux besoins de leurs élèves, leurs structures d'enseignement sont souples et ils sont prêts à apprendre. Leur complicité vous mènera rapidement au succès, vous fournira des stratégies pour résoudre les problèmes inévitables ainsi qu'une équipe qui pourra éventuellement guider les autres enseignants en cours de développement du processus.
- Formez des équipes d'enseignants qui sauront travailler ensemble pour partager des idées ou du matériel, résoudre des problèmes, coenseigner ou s'observer les uns les autres afin de se donner une rétroaction. La collégialité plutôt que l'isolement permet de nourrir les nouvelles idées.
- Visez l'action et la pratique. Il est extrêmement important, pour les enseignants, de revenir sur leurs convictions à mesure que le changement se fait. Par exemple, l'implantation d'une nouvelle approche de l'enseignement des mathématiques, sans savoir où elle se situe dans un ensemble d'apprentissages plus grand, entraînera probablement une mauvaise utilisation de cette stratégie. L'enseignement différencié engendre des enseignants plus pragmatiques. Ceux-ci sont plus susceptibles de faire évoluer leurs convictions lorsque leurs actions favorisent la réussite de leurs élèves.

Inspirez-vous du processus de différenciation

Dans une classe différenciée, un enseignant tient à peu près ce discours aux élèves : « Voilà où nous allons. Tout au long du processus, nous allons travailler dur, apprendre et progresser ; cela n'est pas négociable. Cependant, la manière d'atteindre notre destination l'est. Quelques-uns d'entre vous progresseront plus rapidement que d'autres. Certains partent avec de l'avance. Un élève aura plus de succès en suivant le plan A, alors que son camarade préférera le plan B. Tantôt, je prendrai des décisions en tant qu'enseignant, tantôt vous en prendrez en tant qu'élèves. Souvent, nous prendrons les décisions ensemble. Nous tenterons toujours de les prendre en fonction de l'atteinte de notre objectif, tout en cherchant à progresser le plus possible. »

Quand ils prennent l'initiative d'implanter l'enseignement différencié dans leur école, les directeurs agissent un peu de la même façon et doivent tenir un discours semblable. Il faut qu'ils comprennent que les écoles et leurs enseignants sont différents les uns des autres. Leur objectif de mise sur pied de classes différenciées doit être clair et ferme. Les moyens de parvenir à cet objectif peuvent évidemment être discutés avec les enseignants et autres spécialistes qui composent leur équipe. Les classes, tout comme les enseignants, ont des besoins différents : leur niveau de rendement, leurs intérêts et leur profil d'apprentissage ne sont pas les mêmes. L'échéancier du processus de différenciation ne sera pas le même pour tous, les routes empruntées par chaque équipe pourront varier et l'aide apportée prendra différentes formes. Tantôt certains leaders prendront des décisions-clés, tantôt les enseignants prendront ces décisions. Souvent, ces décisions seront prises conjointement — en ne quittant pas des yeux l'objectif ultime de la création de classes différenciées. Les leaders qui mettent en pratique les principes de la différenciation favorisent un environnement respectueux nécessaire à la création de classes réceptives. De cette façon, les leaders offrent aussi des occasions naturelles de discuter avec des collègues du fonctionnement de la différenciation.

Étudiez les politiques et les procédures

Les leaders proposent souvent aux enseignants des objectifs difficiles à atteindre en raison des politiques nationales en matière d'éducation, des procédures de la commission scolaire ou de l'école. Voici quelques idées pour soutenir la différenciation des apprentissages au sein d'une équipe–école.

- Ajustez les horaires de manière à accorder aux enseignants de longues périodes d'enseignement sans interruption. Par exemple, il est difficile de mettre sur pied et de réaliser une expérience de laboratoire scientifique dans une classe différenciée en seulement 40 minutes, délai habituellement alloué pour une période de cours.
- Votre commission scolaire envisagerait-elle d'adopter plusieurs textes plutôt qu'un seul pour un sujet et un niveau scolaire donnés ? Une commission scolaire qui fournit le même livre de lecture à tous les élèves de troisième année envoie un message : la différenciation n'est pas si importante...
- Votre commission scolaire devrait-elle émettre des bulletins qui aident les parents et les élèves à constater les progrès personnels accomplis plutôt que de comparer les résultats obtenus avec ceux des autres élèves du

groupe ? Ou encore, des bulletins qui tiennent compte de ces deux volets ? Les bulletins scolaires qui ne reflètent qu'un classement des élèves rendent la tâche difficile aux enseignants qui doivent les utiliser dans une classe différenciée.

- Votre école devrait-elle envisager de réduire l'écart entre les différents types d'apprenants dans certaines classes ? Une approche du genre « Arche de Noé », qui regroupe deux apprenants de chaque type existant dans la population scolaire, n'est peut-être pas une approche stimulante ou efficace pour former les groupes-classes. Par ailleurs, la formation de groupes homogènes n'est souvent pas, non plus, la meilleure approche pour former des communautés d'apprentissage. Au début de l'expérience de différenciation, il faut donc prendre garde de mettre les enseignants dans une situation où ils doivent répondre à tous les types de besoins d'apprentissage dans une seule classe, ce qui risque de dépasser leurs capacités.
- Au cours des premières tentatives de différenciation, avec quelles innovations pourriez-vous réduire le nombre d'élèves par classe, offrir plus d'espace pour enseigner ou fournir davantage de soutien aux enseignants qui veulent différencier de manière significative ?
- L'école ou la commission scolaire ont-elles un rôle à jouer dans la promotion de la différenciation auprès des parents ? Croyez-vous plutôt que seuls les enseignants ont à informer les parents quant aux avantages de cette approche et aux occassions d'engagement qu'elle leur offre ?
- Quelquefois, les leaders ne peuvent changer certaines choses. Dans ce cas, leur rôle consiste davantage à aider les enseignants à repenser certaines politiques et certaines procédures. Par exemple, de nombreux enseignants croient que le testing provincial ou celui fait à l'échelle de la commission scolaire va à l'encontre d'une philosophie axée sur le respect des différences des élèves. En réalité, l'utilisation du même matériel avec tous les élèves, même si ces derniers n'ont pas atteint le même niveau de rendement, à une cadence trop lente ou trop rapide selon les apprenants et dans un contexte où l'enseignant « règne » sur sa classe, tout cela n'a jamais produit de résultats extraordinaires. Et cela n'a certainement pas engendré des groupes d'apprenants motivés et engagés dans leurs apprentissages.

Le nivellement par le bas des normes ne devrait pas « devenir » le curriculum, mais il peut être intégré à l'enseignement de façon à motiver les élèves. Pour que les classes différenciées deviennent une réalité, il est essentiel d'aider les enseignants à faire la part des choses et de leur donner la liberté de choisir l'approche qui permet un engagement plus grand chez les élèves. Un leader qui envoie le message que le succès des enseignants dépend de leur capacité à obtenir de tous des notes « au-dessus de la moyenne » à un examen ne devrait pas se voir confier le mandat d'implanter des classes différenciées.

Prévoyez des ateliers de formation ou de perfectionnement

Au cours du processus de changement, il est utile de mettre rapidement sur pied des sessions de formation pour le personnel enseignant au cours desquelles la différenciation est définie, illustrée et discutée. Si ces sessions correspondent aux définitions, aux principes et aux objectifs mis de l'avant par l'école et par la commission scolaire — et si elles sont présentées avec conviction —, elles peuvent donner au projet une orientation efficace. Cependant, trop de formations de style traditionnel peut réduire leur pouvoir de générer des actions. La figure 10.1 présente une approche plus réaliste quant à la formation du personnel enseignant en vue de la différenciation des apprentissages.

À un certain moment, les enseignants ont besoin d'accéder à de nouvelles informations sur les concepts, les principes et les compétences. Ils peuvent y arriver grâce à des formations, des lectures, des vidéos, des recherches individuelles ou de groupe. Ensuite, les enseignants ont besoin de temps pour assimiler la matière et d'occasions pour la mettre en application. Les leaders doivent prévoir ce temps de réflexion à l'horaire des enseignants et mettre à leur disposition des structures de soutien. Les enseignants doivent se fixer des objectifs à court et à long terme pour traduire ces idées en actions, qu'ils poseront en classe. Il faut aussi qu'ils dressent des plans d'implantation. Il est parfois profitable pour les enseignants de travailler en équipes de deux, de planifier l'organisation de périodes de coenseignement ou d'observation suivies de séances de discussion ou de compte rendu.

À ce moment-là, en s'appuyant sur leur interprétation de tous ces éléments (incluant la réflexion personnelle, l'intervention des collègues et la réaction des élèves), les enseignants seront peut-être prêts à obtenir des informations supplémentaires, à recevoir de l'aide pour polir les habiletés qu'ils ont mises à l'épreuve ou à être initiés à une autre procédure en ajoutant des idées qui répondront aux besoins des élèves. Encore ici, le cycle de formation du personnel ressemble beaucoup à un bon enseignement en classe. Les responsables de l'encadrement du personnel enseignant doivent :

- connaître les faits essentiels, les concepts, les principes et les habiletés nécessaires pour atteindre les résultats visés ;
- concevoir une séquence pour y initier le personnel ;
- évaluer le niveau de connaissances et d'habileté de chaque membre du personnel ;
- offrir des occasions de comprendre les nouvelles idées et d'en faire l'essai;
- concevoir la prochaine occasion d'apprentissage en fonction du niveau atteint par chaque membre du personnel engagé dans la démarche.

Rappelez-vous que les continuums diffèrent selon les apprenants. Certains enseignants ont les habiletés requises pour concevoir un bon enseignement différencié, mais ils n'ont pas la volonté de le faire. D'autres ont la volonté, mais ils ne possèdent pas les habiletés nécessaires pour modifier leur façon de voir le programme d'études. Certains peuvent maîtriser une nouvelle approche du programme, mais trébuchent quand il s'agit de mettre sur pied une classe centrée sur l'élève. D'autres ont peut-être déjà une classe centrée sur l'élève, mais ont de la difficulté à travailler avec une approche de l'apprentissage basée sur les concepts. Quelques-uns auront besoin d'être guidés pour acquérir un nouveau système de croyances. Une approche unique pour envisager le perfectionnement du personnel n'est pas conseillée dans un contexte de classes différenciées. La formation continue est une occasion de plus de mettre vos convictions en pratique!

Figure 10.1 **Devenir des praticiens de la différenciation**

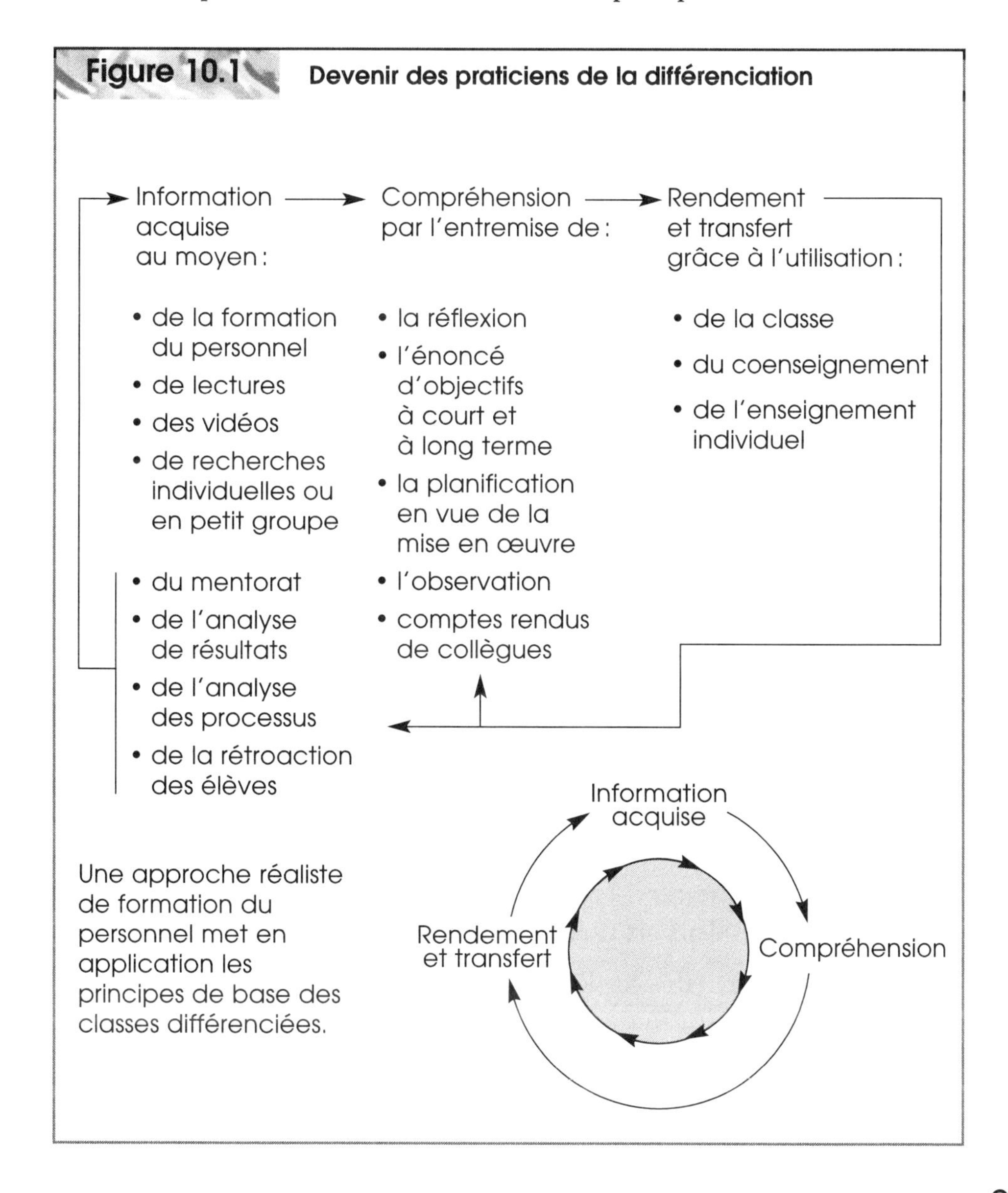

Une aide continue

Au cours de ce long cycle de changement, les enseignants ont besoin d'un soutien continu. Ils ont besoin des leaders pour :

- libérer des cases horaires nécessaires à la planification des leçons différenciées ;
- créer des programmes d'études différenciés quand les guides des curriculums sont révisés ;
- prévoir des visites de classes différenciées ;
- avoir accès à toute une gamme de matériel pour les apprenants ;
- encourager les enseignants à faire l'essai, en toute confiance, d'une nouvelle approche dans leurs classes, sans craindre d'être jugés si, pendant un moment, il y a du bruit ou du désordre ;
- commenter de manière constructive et précise leur travail de différenciation ;
- organiser, tôt dans le processus, un réseau de soutien mutuel et d'encouragement pour les enseignants qui participent à cette initiative afin qu'ils ne se sentent pas isolés ou menacés par des collègues qui résistent au changement ;
- apprécier leur bon travail et les encourager quand ils prennent un risque qui donne de moins bons résultats.

Des leaders efficaces continuent à chercher de nouveaux moyens d'aider et de soutenir les efforts de leur personnel enseignant. Ils n'envoient pas les enseignants seuls en territoire inconnu.

Exercez de la pression et offrez votre soutien

Les classes sont portées vers l'inertie. Trop d'élèves ont trop de besoins et exigent, chaque jour, trop d'interventions. À l'école, beaucoup de choses facilitent la résistance au changement et l'attente de « jours meilleurs » pour faire l'essai de l'enseignement différencié. Un conférencier disait que les enseignants faisaient des changements soit par conviction, soit parce qu'ils ressentaient de la pression. Les chercheurs qui ont étudié les changements ont conclu que les deux attitudes s'avéraient nécessaires.

Les administrateurs efficaces l'ont aussi compris et ils savent présenter les avantages des nouvelles initiatives en insistant, en même temps, sur l'importance du progrès. Les coordonnateurs, les responsables d'un niveau scolaire et les enseignants spécialisés sont de bons motivateurs, mais ce n'est généralement pas leur rôle d'exercer de la pression sur les enseignants. Ils ne devraient pas se sentir inefficaces pour autant. Au contraire, ils devraient être soutenus par la pression que mettent ceux dont c'est le rôle de la générer.

Faites le lien entre la différenciation et la responsabilité professionnelle

Si l'expression « enseignement différencié » est nouvelle, l'idée d'adapter un service pour répondre aux besoins des clients ne l'est pas. Même dans le domaine de l'éducation, où les « clients » arrivent par groupes de 20 ou 30 en même temps, les enseignants constatent rapidement que chaque individu est unique et qu'en raison de cela, tout ne se déroule pas toujours comme prévu. Même si de nombreux enseignants ne pratiquent pas une différenciation active, la plupart sont vite convaincus que leur rôle consiste à répondre aux besoins des élèves (Tomlinson, Callahan, Moon, Tomchin, Landrum, Imbeau, Hunsaker & Eiss, 1995).

Votre rôle consiste à aider les enseignants à prendre pleinement conscience que c'est leur responsabilité professionnelle de donner à chaque individu un enseignement significatif et solide, engagement qui est au cœur du mouvement vers les classes différenciées. Charlotte Danielson (1996) a établi un cadre de réflexion sur l'encadrement de l'enseignant dans quatre domaines-clés : la planification et la préparation, l'environnement de la classe, l'enseignement et les responsabilités professionnelles (comme la communication avec les familles, la réflexion sur l'enseignement, le progrès professionnel et la contribution aux activités de l'école et du district). Pour chaque domaine, elle propose des normes et des repères en matière de niveaux de rendement : insatisfaisant, de base, compétent et réussi avec distinction.

Dans ce cadre, les « performances avec distinction » sont liées à l'attention donnée aux besoins variés des élèves (voir le tableau 10.1, aux pages 166-167). Ce cadre ne dédouble pas l'enseignement différencié, mais il reflète une réalité : la marque d'un excellent enseignant se reflète par sa capacité à reconnaître les besoins individuels de chaque élève plutôt que de s'adresser à une bande d'enfants.

Un cadre comme celui de Danielson permet aux enseignants de planifier en vue d'atteindre individuellement les apprenants, de penser à leurs efforts et d'obtenir une rétroaction éclairée de la part de leurs collègues sur leurs compétences en cours de formation. En plus, de tels critères peuvent être intégrés à la procédure d'évaluation d'un enseignant, grâce à laquelle il fixe ses objectifs personnels d'enseignement, il atteint ses objectifs et il reçoit de la rétroaction de la part des leaders qui l'aident à progresser. Une telle approche devrait être une source de motivation et de pression, et fournir un aperçu de la mise en œuvre.

Quelques mots sur les nouveaux enseignants

La qualité des cours de demain repose directement sur la préparation actuelle que reçoivent les futurs enseignants. Une recherche indique que, souvent, les programmes de formation des enseignants ne les préparent pas adéquatement à l'inévitable diversité des niveaux d'enseignement des cours (Tomlinson, Callahan, Tomchin, Eiss, Imbeau et Landrum, 1977). Cette recherche indique que, avant d'arriver sur le marché du travail, les enseignants :

- N'expérimentent que rarement, voire jamais, l'enseignement différencié au cours de leur programme d'études.
- N'ont eu, en général, qu'un seul cours d'introduction pour les aider à comprendre les besoins des apprenants de niveaux de rendement divers. Presque tous les enseignants affirment que leurs cours traitaient des caractéristiques des apprenants, sans toutefois indiquer convenablement « quoi faire avec eux ».
- N'étaient jamais encouragés par leurs superviseurs d'universités ou par leurs professeurs à différencier l'enseignement.
- Étaient même souvent dissuadés de différencier, en particulier par les professeurs, qui les incitaient à « garder tout le monde ensemble ».
- N'apprenaient que quelques stratégies d'enseignement avec lesquelles ils se sentaient à l'aise. Ils disposaient donc de peu de ressources pour répondre aux divers besoins des élèves.
- N'avaient que peu de modèles de classes multitâche auxquels se référer lors de leur première tâche d'enseignement.

Une fois dans leur classe, ces jeunes enseignants résistent mal au courant qui les amène à « enseigner pour la moyenne », d'une part à cause de la complexité de leurs tâches, et d'autre part à cause de la pression qu'exercent leurs collègues pour qu'ils se conforment à la « manière de faire dans cette école ». À leur première affectation, les quelques nouveaux enseignants qui avaient eu des professeurs qui différenciaient l'enseignement étaient bien plus susceptibles de s'en inspirer que leurs condisciples.

Lorsqu'on commence à enseigner, c'est le moment de développer les « habiletés motrices brutes » de la profession. Une différenciation solide est une « habileté motrice fine » de l'enseignement. Donc, peu d'enseignants novices posséderont une grande compétence pour planifier et faciliter la mise en œuvre de classes entièrement différenciées et l'on ne devrait pas s'attendre à ce qu'ils le fassent. Malgré tout, il est nécessaire d'aider les jeunes enseignants à développer des « habiletés motrices brutes » qui deviendront plus tard « des habiletés motrices fines » de l'enseignement adapté aux besoins des élèves.

Les programmes de formation s'adressant aux enseignants et les commissions scolaires qui emploient des enseignants débutants devraient :

- Exprimer clairement qu'on s'attend à ce que les nouveaux enseignants évoluent vers un enseignement centré sur l'élève, adapté à ses besoins.
- Fournir des modèles clairs de curriculums différenciés et des exemples concrets d'enseignement différencié.
- Mettre à la disposition des jeunes enseignants des mentors qui les aident à réfléchir aux besoins des élèves et aux façons appropriées d'y répondre.
- Rendre les enseignants à l'aise devant l'instauration d'une gamme de plus en plus grande de stratégies d'enseignement qui incitent à la différenciation et en facilitent la gestion.
- Mettre rapidement en place des partenariats avec des enseignants qui pratiquent la différenciation.
- Prévoir le temps et les structures nécessaires pour favoriser la réflexion portant sur l'enseignement en fonction des besoins des élèves et sur sa planification.
- Souligner de manières significatives le progrès réalisé en matière de différenciation des apprentissages.

Les écoles devenant de plus en plus variées, leur capacité à prodiguer un enseignement significatif et une éducation stimulante pour tous les élèves est directement dépendante de la volonté de leurs leaders d'investir du temps, des ressources et du soutien aux jeunes enseignants pour qu'ils s'éloignent du modèle traditionnel qui s'adresse à l'élève moyen. Nous devons les aider à se diriger vers un enseignement donné en fonction des niveaux de rendement, des intérêts et des profils d'apprentissage des individus.

Tableau 10.1 La différenciation : une responsabilité professionnelle

Élément de l'exercice professionnel	Caractéristiques de performance personnelle	Lien avec l'enseignement différencié
Connaissance des relations entre les éléments du contenu	Les méthodes et les plans des enseignants reflètent la connaissance qu'ils ont des relations entre les matières et les concepts. Les enseignants s'appuient sur cette connaissance pour rechercher les causes des incompréhensions des élèves.	Enseignement basé sur le concept Évaluation continue
Connaissance des caractéristiques du groupe d'âge	L'enseignant démontre sa connaissance des caractéristiques du développement selon l'âge, les exceptions et l'étendue des structures que les élèves sont en mesure de suivre.	Focalise sur chaque apprenant
Connaissance des différentes approches d'apprentissage des élèves	Lors de sa planification, l'enseignant utilise, au moment approprié, sa connaissance des approches variées d'apprentissage.	Profil d'apprentissage
Connaissance des habiletés et du savoir des élèves	L'enseignant montre sa connaissance des habiletés et des savoirs des élèves, incluant sa connaissance des besoins particuliers.	Niveau de rendement
Connaissance des intérêts et de l'héritage culturel des élèves	L'enseignant montre sa connaissance des intérêts et des caractéristiques culturelles des élèves.	Intérêt Profil d'apprentissage
Planification et préparation adaptées à la diversité des élèves	Les objectifs tiennent compte des besoins variés des élèves ou des groupes.	Enseignement adapté aux besoins

▶▶▶

Tableau 10.1 Suite

Élément de l'exercice professionnel	Caractéristiques de performance personnelle	Lien avec l'enseignement différencié
Groupes d'enseignement	Les sous-groupes varient, conformément aux différents objectifs d'enseignement. Les choix des élèves influencent visiblement la sélection des différentes formes de regroupement retenues.	Regroupement flexible des élèves en sous-groupes (adapté aux besoins)
Structure de la leçon et du module	La leçon ou la structure du module est claire et ouvre la voie à différentes pistes selon les besoins des élèves.	Enseignement centré sur les besoins Différentes façons d'apprendre
Interaction enseignant/élèves	L'enseignant fait preuve d'une attention et d'un respect véritables envers chaque élève. Les élèves font preuve de respect envers l'enseignant en tant qu'individu et en tant que professionnel. Les élèves manifestent une véritable attention envers leurs pairs, en tant qu'individus et en tant qu'élèves.	Triangle d'apprentissage Communauté d'apprentissage
Persévérance de l'enseignement	L'enseignant persévère dans sa recherche d'approches efficaces pour les élèves qui ont besoin d'aide, en se référant à un répertoire complet de stratégies et en sollicitant à l'école des ressources supplémentaires.	Recours à une vaste gamme de stratégies d'enseignement Utilisation de textes variés et de matériel complémentaire
Ajustements de la leçon	L'enseignant apporte des ajustements importants à la leçon pour répondre aux besoins des élèves.	Contenus et processus différenciés

Conclusion

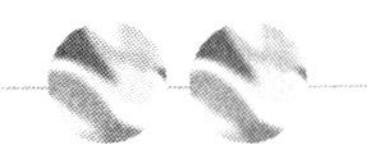

Comme moi, des enseignants passent leurs carrières en classe. Pendant 25 ou 30 ans, nous comptons les jours et les saisons au cours desquels nous entrons en solitaire dans cette pièce, pourtant bondée d'élèves, et où nous apprenons et exerçons notre profession. La classe est l'endroit où se déroule une des plus belles parties de notre vie, où nous essayons de « faire une différence » pour les élèves qui nous sont confiés.

Dans l'enseignement, il n'y a pas deux jours pareils. Paradoxalement, si nous ne prenons pas garde, ils peuvent finir par tous se ressembler mortellement. Nous devons nous souvenir que nous avons la chance d'évoluer et de faire progresser notre approche, mais que nous courons aussi le risque de stagner, de rester les mêmes enseignants que nous étions au cours des premières années où nous exercions notre profession.

Les idées exposées dans ce livre sont ambitieuses, peut-être même visionnaires. Elles sont aussi à la portée des enseignants qui cherchent quotidiennement à mettre en pratique ce qu'ils exigent de leurs élèves: prendre des risques, donner un rendement maximum, aller au-delà de leur zone de confort.

Lewis Thomas (1983) dit que nous devrions, en tant qu'espèce humaine, célébrer notre ignorance plutôt que de prétendre que nous avons plusieurs réponses aux complexités de la vie. Il affirme que « nous devrions nous féliciter d'avoir fait du chemin, mais nous devrions encore plus exulter de constater que nous avons encore tant de chemin à parcourir » (p.163).

Il en est de même pour l'enseignement et cela représente l'esprit de ce livre: ni pleurer sur les actions que nous n'avons pas posées ni nous reposer sur nos lauriers, mais considérer toutes les raisons que nous avons de nous présenter en classe encore une fois demain, prêts à rejoindre nos élèves, tous nos élèves, pour apprendre.

Annexe

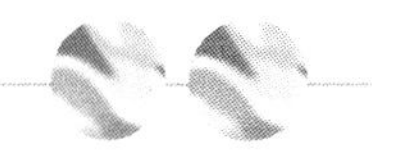

Deux modèles pour guider l'enseignement différencié

La figure A.1 permet de réfléchir à la manière de différencier l'enseignement dans des classes de niveaux de scolarité variés. Elle met l'accent sur le niveau de rendement des élèves. En résumé, le modèle indique que les *contenus* s'adressant aux apprenants devraient comprendre les caractéristiques indiquées dans la case du haut, à gauche. Les *processus,* ou les activités, devraient comprendre les caractéristiques indiquées dans la case centrale du haut. Les tâches qui aboutissent aux *productions* que font tous les élèves devraient comprendre les caractéristiques indiquées dans la case du haut, à droite. Tous les élèves devraient vivre des apprentissages dans les environnements dont les caractéristiques sont indiquées autour du tableau.

La rangée du bas contient des stratégies d'enseignement pour aider les enseignants à réussir la différenciation des contenus, des processus et des productions. Ces stratégies sont aussi utiles pour tous les élèves. Même si ces listes ne sont pas exhaustives, elles reflètent la compréhension actuelle des meilleures méthodes pédagogiques.

Les « boutons » apparaissant à la page 172 ressemblent à ceux d'une chaîne stéréophonique ou d'un lecteur de disques compacts qui servent à ajuster la tonalité, le volume ou la balance. On appelle ces mécanismes des « régulateurs ». Pour différencier selon le niveau de rendement d'un élève, un enseignant devrait commencer par un enseignement solide, significatif et centré sur les éléments essentiels. Ensuite, l'enseignant devrait glisser les boutons du régulateur à gauche ou à droite, en fonction du niveau de rendement de l'élève. Par exemple, un élève qui connaît bien l'espace et qui lit assez bien peut avoir besoin de matériel de recherche complexe pour préparer la présentation du lendemain. Un camarade de classe qui éprouve des difficultés à lire et dont les connaissances antérieures ne sont pas complètes peut avoir besoin d'un matériel de recherche bien plus simple pour préparer la présentation.

Comme pour la chaîne stéréophonique, il n'est pas nécessaire de déplacer tous les boutons en même temps. Aussi, les élèves auront peut-être besoin de plusieurs boutons régulateurs déplacés vers la gauche lorsqu'ils commenceront un travail sur une matière ou une habileté, mais à mesure que l'étude du module avancera, leurs activités et leurs productions devraient faire glisser le bouton vers la droite.

La figure A.2 prévoit des descriptions pour aider les enseignants et les responsables de la création des curriculums à modifier le programme d'études et l'enseignement au cours des divers continuums. Par exemple, si un apprenant a des difficultés avec une idée ou une habileté spécifique, un enseignant peut concevoir une tâche de base ou fondamentale pour cet enfant.

Les élèves peuvent effectuer les connexions mentales ou les applications quand on leur demande de travailler avec une idée ou une habileté qui ressemble beaucoup aux textes ou aux exemples donnés en classe ou encore qui se rapproche de leurs propres expériences. Un enfant qui est déjà à l'aise avec une idée ou une habileté peut avoir besoin de l'appliquer et être prêt à le faire d'une manière transformationnelle, c'est-à-dire éloignée des exemples donnés en classe ou de son expérience personnelle.

Ces listes de descriptions ne sont pas non plus exhaustives. Elles constituent de bons exercices de réflexion pour savoir quoi faire afin de rendre les tâches pertinentes pour les différents apprenants de la classe. Ajoutez ensuite à ces listes les descriptions qui reflètent votre manière de penser en ce qui concerne la différenciation basée sur les niveaux de rendement des élèves.

Figure A.1 **Un modèle de planification en fonction de la diversité des niveaux de rendement et du développement des talents de l'élève**

Regroupement flexible

Supervision active

Contenus	Processus	Productions
Basés sur le concept et la généralisation Très pertinents Cohérents Transférables Puissants Authentiques	Basés sur les concepts et la généralisation Focalisés Haut niveau Visent un but précis Créent un équilibre entre la pensée critique et la pensée créative Incitent à la cognition et à la métacognition	Centrées sur les concepts ou la question Enseignement des habiletés de planification Enseignement des habiletés de production Exigent la compréhension et l'application de toutes les habiletés-clés Utilisent les habiletés liées à la discipline Problèmes et public liés à la vie quotidienne Modes d'expression multiples
<u>Différenciation au moyen de :</u> Textes multiples et matériel complémentaire Programmes informatiques variés Matériel audiovisuel varié Mécanismes de soutien variés Périodes de travail ciblées et variées Contrats Compression Enseignement complexe Recherche en groupe	<u>Différenciation au moyen de :</u> Tâches assignées par étapes Centres d'apprentissage Exercices adaptés aux intelligences multiples Organisateurs graphiques Simulation Carnets d'apprentissage Atteinte d'un concept Développement du concept Synectique Enseignement complexe Recherche en groupe	<u>Différenciation au moyen de :</u> Travail par étapes sur les productions Étude indépendante Productions basées sur les besoins de la communauté Critères négociés Grille d'évaluation graduée Orientation basée sur les intelligences multiples Enseignement complexe Recherche en groupe

Attentes divisées par étapes

Figure A.1 Suite

Un modèle de planification en fonction de la diversité des niveaux de rendement et du développement des talents de l'élève

Évaluation et adaptation continues

Le régulateur

1. Fondamental — En transformation

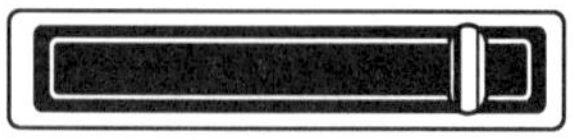

information, idées, matériel, applications

2. Concret — Abstrait

représentations, idées, matériel, applications

3. Simple — Complexe

ressources, recherches, questions à l'étude, problèmes, habiletés, objectifs

4. Facette unique — Facettes multiples

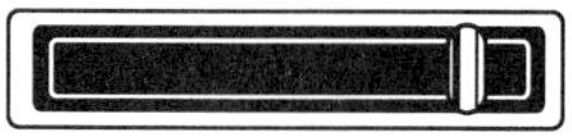

connexions entre les disciplines, directives, étapes de développement

5. Petit saut — Grand saut

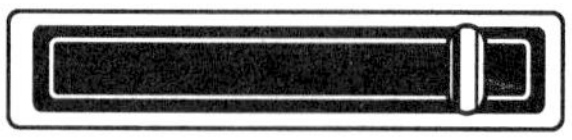

connaissance, application, transfert

6. Très structuré — Plus ouvert

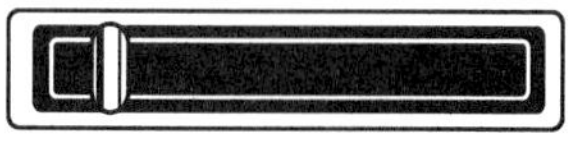

solutions, décisions, approches

7. Problèmes bien définis — Problèmes vagues

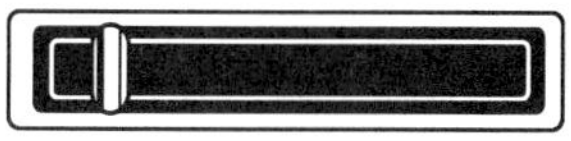

dans les processus, dans la recherche, dans les productions

8. Autonomie réduite — Plus grande autonomie

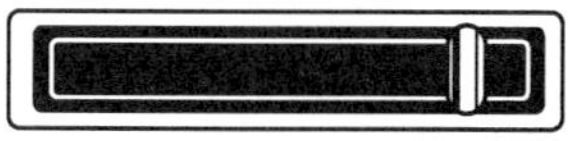

planification, conception, contrôle

9. Plus lent — Plus rapide

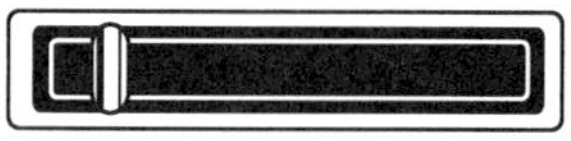

rythme d'étude, rythme de pensée

Figure A.2 Réfléchir au régulateur

1. Fondamental — En transformation

information, idées, matériel, applications

Fondamental	En transformation
• Près du texte ou de l'expérience	• À partir du texte ou de l'expérience
• Pensée ou habileté relative à un cadre familier ou similaire	• Transférer une pensée ou une habileté à un cadre inattendu ou non familier
• Utiliser une idée-clé ou une habileté seule	• Utiliser une idée ou une habileté de base avec une idée ou une habileté sans relation
• Mise en évidence d'habiletés et de connaissances de base	• Dépasser les habiletés et les connaissances de base
• Moins de permutations d'idées et d'habiletés	• Plus de permutations d'idées et d'habiletés

2. Concret — Abstrait

représentations, idées, applications, matériel

Concret	Abstrait
• Faire des expériences concrètes et mettre en pratique	• Démontré et expliqué
• Tangible	• Viser l'abstraction
• Littéral	• Intangible
• Manipulation physique	• Symbolique ou métaphorique
• Basé sur les événements	• Exercice mental
• Des événements aux principes	• Basé sur l'idée
	• Principe sans événement
	• Ni démontré ni expliqué

3. Simple  Complexe

ressources, recherches, questions à l'étude, problèmes, habiletés, objectifs

Simple	Complexe
• Utiliser l'habileté ou l'idée actuellement enseignée	• Combiner l'idée ou l'habileté qui est enseignée avec une idée ou une habileté enseignée auparavant
• Travailler sans abstractions ou avec très peu d'abstractions	• Travailler avec de multiples abstractions
• Souligne la pertinence	• Souligne l'aspect esthétique et la finesse de la langue
• Exige relativement moins d'originalité	• Exige plus d'originalité
• Vocabulaire plus courant	• Vocabulaire plus complexe
• Lecture plus familière	• Lecture plus avancée

4. Facette unique — Facettes multiples

connexions entre les disciplines, directives, étapes de développement

Facette unique	Facettes multiples
• Moins de sections	• Plus de sections
• Moins de démarches	• Plus de démarches
• Moins d'étapes	• Plus d'étapes

5. Petit saut  Grand saut

connaissance, application, transfert

Petit saut	Grand saut
• Peu d'éléments inconnus	• Beaucoup d'éléments inconnus
• Aisance relative avec la plupart des éléments	• Non familiarisé avec de nombreux éléments
• Moins de nécessité de modifier les éléments familiers	• Plus de nécessité de modifier des éléments familiers
• Exige une pensée moins souple	• Exige une pensée plus souple
• Peu de manques dans la connaissance exigée	• Manques significatifs dans les connaissances exigées
• Plus évolutif	• Plus révolutionnaire

6. Très structuré — Plus ouvert

solutions, décisions, approches

Très structuré	Plus ouvert
• Plus de directives ou directives plus précises	• Moins de directives
• Plus de modelage	• Moins de modelage
• Relativement moins de choix pour l'élève	• Relativement plus de choix pour l'élève

7. Problèmes bien définis — Problèmes vagues

dans le processus, dans la recherche, dans les productions

Problèmes bien définis	Problèmes vagues
• Peu d'éléments inconnus	• Plus d'heuristiques
• Plus d'algorithmes	
• Gamme plus réduite de réponses ou d'approches acceptables	• Plus vaste gamme de réponses ou d'approches acceptables
• Seules des données pertinentes sont fournies	• Données non pertinentes fournies
• Problème spécifié	
• Plus de soutien de la part de l'enseignant	• Problème non spécifié ou ambigu

8. Autonomie réduite — Plus grande autonomie

planification, conception, contrôle

Autonomie réduite	Plus grande autonomie
• Plus d'encadrement et de suivi de la part d'enseignants ou d'adultes pour :	• Moins d'encadrement et de suivi de la part d'enseignants ou d'adultes pour :
• reconnaître un problème	• reconnaître un problème
• fixer des objectifs	• fixer des objectifs
• établir des échéanciers	• établir des échéanciers
• suivre les échéanciers	• suivre les échéanciers
• s'assurer des ressources	• s'assurer des ressources
• utiliser les ressources	• utiliser les ressources
• définir les critères de succès	• définir les critères de succès
• élaborer une production	• élaborer une production
• évaluer	• évaluer
• Plus d'enseignants pour échafauder des plans	• Moins de soutien de la part de l'enseignant
• Apprendre les habiletés nécessaires à l'autonomie	• Faire preuve des habiletés nécessaires à l'autonomie

9. Plus lent — Plus rapide

rythme d'étude, rythme de pensée

Plus lent	Plus rapide
• Plus de temps pour travailler	• Moins de temps pour travailler
• Plus de pratiques	• Moins de pratiques
• Plus d'enseignement et de réenseignement	• Moins d'enseignement et de réenseignement
• Processus plus systématiques	• Processus plus rapides
• Explorer l'ampleur et la profondeur	• Atteindre les objectifs élevés

Bibliographie

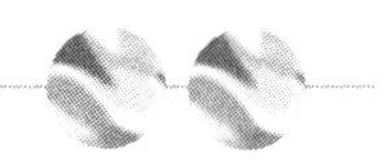

ALLAN, S. (1991). « Ability-grouping research reviews : What do they say about grouping and the gifted ? », *Educational Leadership*, vol. 48, nº 6, p. 60-65.

ARNOW, H. (1954). *The dollmaker*, New York, Avon.

BARELL, J. (1995). *Teaching for thoughtfulness : Classroom strategies to enhance intellectual development*, White Plains, Longman.

BAUER, J. (1996). *Sticks*, New York, Yearling.

BAUER, J. (1997). « Sticks : Between the lines », *Book Links*, vol. 6, nº 6, p. 9-12.

BERLINER, D. (1986). « In pursuit of the expert pedagogue », *Educational Researcher*, vol. 15, nº 7, p. 5-13

BERTE, N. (1975). *Individualizing education by learning contracts*, San Francisco, Jossey-Bass.

BESS, J. (éd.) (1997). *Teaching well and liking it : Motivating faculty to teach effectively*, Baltimore, The Johns Hopkins University Press.

BLUESTEIN, J. (éd.) (1995). *Mentors, masters and Mrs. MacGregor : Stories of teachers making a difference*, Deerfield Beach, Health Communications inc.

BRANDWEIN, P. (1981). *Memorandum : On renewing schooling and education*, New York, Harcourt Brace Jovanovich.

BROWN, M. (1949). *The important book*, New York, Harper and Row.

CAINE, R., et G. CAINE (1991). *Making connections : Teaching and the human brain*, Alexandria, ASCD.

CAINE, R., et G. CAINE (1994). *Making connections : Teaching and the human brain*, Menlo Park, Addison-Wesley.

CAINE, R., et G. CAINE (1997). *Education on the edge of possibility*, Alexandria, ASCD.

CANTER & ASSOCIATES. (1996). *Teaching strategies that promote organization and mastery of content* [From Developing Lifelong Learners Video Series.], Santa Monica, Author.

CLEMONS, J. et coll. (1993). *Portfolios in the classroom : A teacher's sourcebook*, New York, Scholastic.

COHEN, E. (1994). *Designing groupwork : Strategies for the heterogeneous classroom* (2e éd.), New York, Teachers College Press.

COHEN, E. (1994). *Le travail de groupe : Stratégies d'enseignement pour la classe hétérogène*, Montréal, Chenelière/McGraw-Hill.

CSIKSZENTMIHALYI, M., K. RATHUNDE, et S. WHALEN (1993). *Talented teenagers : The roots of succes and failure*, New York, Cambridge University Press.

DANIELSON, C. (1996). *Enhancing professional practice : A framework for teaching*, Alexandria, ASCD.

DANIELSON, C., et L. ABRUTYN (1997). *An introduction to using portfolios in the classroom*, Alexandria, ASCD.

DELISLE, R. (1997). *How to use problem-based learning in the classroom*, Alexandria, ASCD.

EISNER, E. (1994). *Cognition and curriculum reconsidered*, New York, Teacher's College Press.

ERIKSON, H. (1998). *Concept-based curriculum and instruction : Teaching beyond the facts*, Thousand Oaks, Corwin.

FLEISCHMAN, P. (1996). *Dateline Troy*, Cambridge, Candlewick Press.

FULLAN, M. G., et S. STIEGELBAUER (1991). *The new meaning of educational change*, New York, Teachers College Press.

FULLAN, M. (1993). *Change forces : Probing the depths of educational reform*, Bistrol, The Falmer Press.

GARDNER, H. (1991). *The unschooled mind. How children think and how schools should teach*, New York, Basic Books.

GARDNER, H. (1993). *Multiple intelligences : The theory in practice*, New York, Basic Books.

GARDNER, H. (1997). « Reflections on multiple intelligences : Myths and messages », *Phi Delta Kappan*, vol. 78, nº 5, p. 200-207.

GARDNER, H. (1999). *Les formes de l'intelligence*, Paris, Odile Jacob.

HOROWITZ, F., et M. O'Brien (1985). *The gifted and talented : Developmental perspectives,* Washington, American Psychological Association.

HOWARD, P. (1994). *The owner's manual for the brain,* Austin, Leornian Press.

JENSEN, E. (1998). *Teaching with the brain in mind,* Alexandria, ASCD.

JENSEN, E. (2000). *Le cerveau et l'apprentissage,* Montréal, Chenelière/McGraw-Hill.

JOHNSON, T. (producteur) (1997). *Problem-based learning,* Alexandria, Association for Supervision and Curriculum Development.

KALBFLEISCH, L. (1997). *Explain the brain* (non publié), Charlottesville, University of Virginia.

KAPLAN, S., et coll. (1980). *Change for children: Ideas and activities for individualizing learning,* Glenview, Scott Foresman.

KIERNAN, L. (producteur) (1997). *Differentiating instruction: A video staff development set,* Alexandria, ASCD.

KINGORE, B. (1993). *Portfolios,* Des Moines, Leadership Publishers.

KNOWLES, M. (1986). *Using learning contracts, San Francisco,* Jossey-Bass.

KONIGSBURG, E. L. (1996). *The view from Saturday,* New York, Atheneum Books for Young Readers.

KULIK, J., et C. KULIK (1991). « Ability grouping and gifts students », dans N. COLANGELO et G. DAVIS (éd.), *Handbook of Gifted Education,* Boston, Allyn & Bacon.

LASLEY, T. J., et T. J. MATCZYNSKI (1997) *Strategies for teaching in a diverse society: Instructional models,* Belmont, Wadsworth Publishing Company.

LOWRY, L. (1993). THE GIVER, Boston, Houghton Mifflin.

MADEA, B. (1994). *The multiage classroom:* An inside look at one community of learners, Cypress, Creative Teaching Press.

McCARTHY, B. (1996). *About learning,* Barrington, Excel.

OAKES, J. (1985). *Keeping track: How schools structure inequality,* New Haven, Yale University Press.

OHANIAN, S. (1988). « On stir-and-serve recipes for teaching », dans K. RYAN et J. M. COOPER (éd.), *Kaleidoscope: Readings in education,* Boston, Allyn & Bacon.

PATERSON, K. (1991). *Lyddie,* New York, Dutton.

PHENIX, P. (1986). *Realms of meaning: A philosophy of the curriculum for general education,* Ventura, Ventura County Superintendent of Schools Office.

REIS, S., et J. RENZULLI (1992). « Using curriculum compacting to challenge the above average », *Educational Leadership,* vol. 50, nº 2, p. 1.

ROBB, L. (1997). « Talking with Paul Fleischman », *Book Links,* vol. 6, nº 4, p. 39-43.

SAINT-EXUPÉRY, A. de (1943). *The little prince,* New York, Harcourt, Brace & World.

SAINT-EXUPÉRY, A. de (1943). *Le petit Prince,* Folio Junior, Paris Gallimard.

SARASON, S. (1990). *The predictable failure of educational reform: Can we change course before it's too late?,* San Francisco, Jossey-Bass.

SARASON, S. (1993). *The case for change: Rethinking the preparation of educators,* San Francisco, Jossey-Bass.

SCHIEVER, S. (1991). *A comprehensive approach to teaching thinking,* Boston, Allyn & Bacon.

SHARAN, S. (éd.) (1994). *Handbook of cooperative learning methods,* Westport, Greenwood Press.

SHARAN, Y., et S. SHARAN (1992). *Expanding cooperative learning through group investigation,* New York, Teachers College Press.

SIEGEL, J., et M. SHAUGHNESSY (1994). « Educating for understanding: A conversation with Howard Gardner », Phi Delta Kappan, vol. 75, nº 7, p. 564.

SIZER, T. (1992). *Horace's School: Redesigning the American High School,* Boston, Houghton Mifflin.

SLAVIN, R. (1987). « Ability grouping and achievement in the elementary school: A best evidence synthesis », *Review of Educational Research,* vol. 57, p. 293-336.

SLAVIN, R. (1993). « Ability grouping in the middle grades: Achievement effects and alternatives », *Elementary School Journal,* vol. 93, p. 535-552.

STARKO, A. (1986) *It's about time: Inservice strategies for curriculum compacting,* Mansfields Center, Creative Learning Press.

STEPIEN, W. J., et S. GALLAGHER (1997). *Problem-based learning across the curriculum,* Alexandria, ASCD.

STERNBERG, R. (1985). *Beyond IQ: A triarchic theory of human intelligence,* New York, Cambridge University Press.

STERNBERG, R. (1988). *Beyond IQ: A triarchic mind: A new theory of human intelligence,* New York, Viking.

STERNBERG, R. (1997). « What does it mean to be smart? », *Educational Leadership,* vol. 54, nº 6, p. 20-24.

STEVENSON, C. (1992). *Teaching ten to fourteen year olds,* New York, Longman.

STEVENSON, C. (1997). «An invitation to join Team 21!», dans C. TOMLINSON (éd.), *In search of common ground: What constitutes appropriate curriculum and instruction for gifted middle schoolers?,* Washington, Curriculum Studies Division of the National Association for Gifted Children.

STEVENSON, C. et J. CARR (éd.) (1993). *Integrated studies in the middle grades: Dancing through walls,* New York, Teachers College Press.

STRACHOTA, B. (1996). *On their side: Helping children take charge of their learning,* Greenfield, Northeast foundation for Children.

SYLWESTER, R. (1995). *A celebration of neurons: An educator's guide to the human brain,* Alexandria, ASCD.

THOMAS, L. (1983). *Late night thoughts on listening to Mahler's Ninth Symphony,* New York, Bantam Books.

TOMLINSON, C. (1993). « Independent study: A flexible tool for encouraging academic and personal growth », *Middle School Journal,* vol. 25, nº 1, p. 55-59.

TOMLINSON, C. (1995) « Deciding to differentiate instruction in middle school: One school's journey », *Gifted Child Quaterly,* vol. 39, nº 1, p. 77-87.

TOMLINSON, C. (1995). *How to differentiate instruction in mixed ability classrooms,* Alexandria, ASCD.

TOMLINSON, C. (1996). *Differentiating instruction for mixed-ability classrooms,* Alexandria, ASCD.

TOMLINSON, C. (1996). « Good teaching for one and all: Does gifted education have an instructional identity? », *Journal for the Education of the Gifted,* vol. 20, p. 155-174.

TOMLINSON, C. (1997). *Differentiating instruction: Facilitator's guide,* Alexandria, ASCD.

TOMLINSON, C., et coll. (1995). *Preservice teacher preparation in meeting the needs of gifted and other academically diverse students,* Charlottesville, National Research Center on the Gifted and Talented, University of Virginia.

TOMLINSON, C., et coll. (1997). « Becoming architects of communities of learning: Addressing academic diversity in contemporary classrooms », *Exceptional Children,* vol. 63, p. 269-282.

TORP, L., et S. SAGE (1998). Problems as possibilities: *Problem-based learning for K-12 education,* Alexandria, ASCD

TREFFINGER, D. (1978). « Guidelines for encouraging independence and self-direction among gifted students », *Journal of Creative Behavior,* vol. 12, nº 1, p. 14-20.

VYGOTSKY, L. (1978). *Mind in society: The development of higher psychological processes,* Cambridge, Harvard University Press.

VYGOTSKY, L. (1985). *Pensée et langage,* Paris, Messidor et Éditions sociales.

VYGOTSKY, L. (1986). *Thought and language* Cambridge, The MIT Press. (Original work published in 1934).

WINEBRENNER, S. (1992). *Teaching gifted kids in the regular classroom,* Minneapolis, Free Spirit Press.

Chenelière/Didactique

A APPRENTISSAGE

Accompagner la construction des savoirs
Rosée Morissette, Micheline Voynaud

Au pays des gitans
Un répertoire d'outils pour développer la gestion cognitive de l'attention, de la mémoire et de la planification
Martine Leclerc

Des idées plein la tête
Exercices axés sur le développement cognitif et moteur
Geneviève Daigneault, Josée Leblanc

Des mots et des phrases qui transforment
La programmation neurolinguistique appliquée à l'éducation
Isabelle David, France Lafleur, Johanne Patry

Déficit d'attention et hyperactivité
Stratégies pour intervenir autrement en classe
Thomas Armstrong

Être attentif... une question de gestion!
Un répertoire d'outils pour développer la gestion cognitive de l'attention, de la mémoire et de la planification
Pierre-Paul Gagné, Danielle Noreau, Line Ainsley

Être prof, moi j'aime ça!
Les saisons d'une démarche de croissance pédagogique
L. Arpin, L. Capra

Intégrer les intelligences multiples dans votre école
Thomas R. Hoerr

La gestion mentale
Au cœur de l'apprentissage
Danielle Bertrand-Poirier, Claire Côté, Francesca Gianesin, Lucille Paquette Chayer
- Compréhension de lecture
- Grammaire
- Mémorisation
- Résolution de problèmes

L'apprentissage à vie
La pratique de l'éducation des adultes et de l'andragogie
Louise Marchand

L'apprentissage par projets
Lucie Arpin, Louise Capra

Le cerveau et l'apprentissage
Mieux comprendre le fonctionnement du cerveau pour mieux enseigner
Eric Jensen

Les intelligences multiples
Guide pratique
Bruce Campbell

Les intelligences multiples dans votre classe
Thomas Armstrong

Les secrets de l'apprentissage
Robert Lyons

Par quatre chemins
L'intégration des matières au cœur des apprentissages
Martine Leclerc

Pour apprendre à mieux penser
Trucs et astuces pour aider les élèves à gérer leur processus d'apprentissage
Pierre Paul Gagné

PREDECC
Programme d'entraînement et de développement des compétences cognitives
Pierre Paul Gagné, Line Ainsley
- Module 1 : Cerveau... mode d'emploi !

Programme Attentix
Gérer, structurer et soutenir l'attention en classe
Alain Caron

Stratégies pour apprendre et enseigner autrement
Pierre Brazeau

Un cerveau pour apprendre
Comment rendre le processus enseignement-apprentissage plus efficace
David A. Sousa

Vivre la pédagogie du projet collectif
Collectif Morissette-Pérusset

E ÉVALUATION ET COMPÉTENCES

Comment construire des compétences en classe
Des outils pour la réforme
Steve Bisonnette, Mario Richard

Le plan de rééducation individualisé (PRI)
Une approche prometteuse pour prévenir le redoublement
Jacinthe Leblanc

Le portfolio
Évaluer pour apprendre
Louise Dore, Nathalie Michaud, Libérata Mukarugagi

Le portfolio au service de l'apprentissage et de l'évaluation
Roger Farr, Bruce Tone
Adaptation française : Pierrette Jalbert

Le portfolio de développement professionnel continu
Richard Desjardins

Portfolios et dossiers d'apprentissage
Georgette Goupil
- Vidéocassette

Profil d'évaluation
Une analyse pour personnaliser votre pratique
Louise M. Bélair
- Guide du formateur

G GESTION DE CLASSE

À la maternelle... voir GRAND!
Louise Sarrasin, Marie-Christine Poisson

Apprivoiser les différences
Guide sur la différenciation des apprentissages et la gestion des cycles
Jacqueline Caron

Apprendre... c'est un beau jeu
L'éducation des jeunes enfants dans un centre préscolaire
M. Baulu-MacWillie, R. Samson

Bien s'entendre pour apprendre
Réduire les conflits et accroître la coopération, du préscolaire au 3e cycle
Lee Canter, Katia Petersen, Louise Dore, Sandra Rosenberg

Construire une classe axée sur l'enfant
S. Schwartz, M. Pollishuke

Je danse mon enfance
Guide d'activités d'expression corporelle et de jeux en mouvement
Marie Roy

La multiclasse
Outils, stratégies et pratiques pour la classe multi-âge et multiprogramme
Colleen Politano, Anne Davies
Adaptation française: Monique Le Pailleur

Le conseil de coopération
Un outil pédagogique pour l'organisation de la vie de classe et la gestion des conflits
Danielle Jasmin

L'enfant-vedette (vidéocassette)
Alan Taylor, Louise Sarrasin

Pirouettes et compagnie
Jeux d'expression dramatique, d'éveil sonore et de mouvement pour les enfants de 1 an à 6 ans
Veronicah Larkin, Louie Suthers

Quand les enfants s'en mêlent
Ateliers et scénarios pour une meilleure motivation
Lisette Ouellet

Quand revient septembre...
Jacqueline Caron
- Guide sur la gestion de classe participative (volume 1)
- Recueil d'outils organisationnels (volume 2)

Une enfance pour s'épanouir
Des outils pour le développement global de l'enfant
Sylvie Desrosiers, Sylvie Laurendeau

P PARTENARIAT ET LEADERSHIP

Avant et après l'école
Mise sur pied et gestion d'un service de garde en milieu scolaire
Sue Tarrant, Alison Jones, Diane Berger

Communications et relations entre l'école et la famille
Georgette Goupil

Devoirs sans larmes
Lee Canter
- Guide à l'intention des parents pour motiver les enfants à faire leurs devoirs et à réussir à l'école
- Guide pour les enseignantes et les enseignants de la 1re à la 3e année
- Guide pour les enseignantes et les enseignants de la 4e à la 6e année

Enseigner à l'école qualité
William Glasser

Le leadership en éducation
Plusieurs regards, une même passion
Lyse Langlois, Claire Lapointe

Nouveaux paradigmes pour la création d'écoles qualité
Brad Greene

Pour le meilleur... jamais le pire
Prendre en main son devenir
Francine Bélair

POUR PLUS DE RENSEIGNEMENTS OU POUR COMMANDER, COMMUNIQUEZ AVEC NOTRE SERVICE À LA CLIENTÈLE AU (514) 273-8055.

Chenelière/McGraw-Hill
7001, boul. Saint-Laurent
Montréal (Québec)
Canada H2S 3E3
Téléphone: (514) 273-1066
Télécopieur: (514) 276-0324
chene@dlcmcgrawhill.ca